Lexikon
der Kunststile

von
Dr. Gottfried Lindemann
Dozent für Kunstgeschichte an der Fachhochschule in Hamburg, und
Dr. Hermann Boekhoff
Chefredakteur der «Westermanns Monatshefte» von 1949 bis 1970

Die verschiedenen Kunstrichtungen in typischen Beispielen
aus Architektur, Plastik, Malerei, Mode und Kunsthandwerk

Band 2: Vom Barock bis zur Pop-art

133 Abbildungen, davon 121 in Farbe

Rowohlt

Texte und Bildauswahl dieser Taschenbuchausgabe wurden an Hand der Serie «Europäische Stilfibel» erarbeitet, die 1967—1969 im Georg Westermann Verlag als Beilage zu «Westermanns Monatsheften» erschienen ist.
Umschlagentwurf Werner Rebhuhn

1.– 30. Tausend November 1970
31.– 42. Tausend (verbesserte Auflage) Oktober 1971
43.– 57. Tausend Juni 1972
58.– 72. Tausend November 1973
73.– 87. Tausend November 1974
88.– 99. Tausend September 1975
100.–119. Tausend Juni 1976
120.–139. Tausend Januar 1978
140.–159. Tausend November 1978
160.–179. Tausend März 1980

Veröffentlicht im November 1970 mit freundlicher Genehmigung des Georg Westermann Verlags
© Georg Westermann Verlag,
Druckerei und Kartographische Anstalt GmbH & Co., Braunschweig
Alle Rechte, auch die des Nachdrucks, der foto-
mechanischen Wiedergabe und der Übersetzung vorbehalten
Taschenbuchausgabe: Rowohlt Taschenbuch Verlag GmbH,
Reinbek bei Hamburg
Gesamtherstellung: Georg Westermann, Braunschweig 1975
Gesetzt aus der 8 Punkt Linotype-Helvetica
Printed in Germany
980-ISBN 3 499 16137 0

Inhalt

BAROCK

190 Lorenzo Bernini (1598–1680), Ludwig XIV. Marmor.

Gesellschaftsgeschichtlich ist die Epoche des Barock gekennzeichnet durch das Bestreben von Kirche und Staat, den Menschen, der sich in der Renaissance ein hohes Maß an Selbständigkeit erkämpft hatte, wieder in ein unerbittliches Ordnungssystem zu zwingen. Der absolute Monarch und die triumphierende Kirche können wieder einmal einen Sieg über das Individuum erringen, ohne jedoch dabei auf das Ideal mittelalterlicher Weltverneinung zurückzugreifen, wie es die Kirche der Gegenreformation versucht hatte. Der Barockmensch ist ein Sinnenmensch. Seine Erkenntnisse will er auch in den Bereichen des Geistes und des Glaubens durch das sinnliche Erlebnis erlangen. Das Mittelalter hatte die Sinnlichkeit abtöten wollen, die Renaissance hatte sie im Geiste der Antike bejaht. Im Barock werden die Sinne in einem grandiosen Zusammenspiel von Bau- und Bildkunst, von Theater und Musik umschmeichelt, umjubelt oder auch erschüttert, um das Übersinnliche deutlich und verständlich zu machen.

Wieder einmal tritt die Kunst in den Dienst der Mächtigen, in den Dienst einer überpersönlichen Idee. Sie verliert damit ihre in der Renaissance mühsam errungene Selbständigkeit. Der Wille des Auftraggebers wird für sie erneut verbindlich, wobei die Person des Auftraggebers zugleich im Sinne der Institution in der Kunst lediglich ein Mittel zur überzeugenden Selbstdarstellung sieht. Der höfische Absolutismus räumt zwar der weltlichen Kunst die völlige Gleichberechtigung neben der kirchlichen ein, doch duldet auch er kein Abweichen von autoritär gesetzten Richtlinien. So erklärt es sich auch, daß gerade Frankreich, diese Hochburg des Absolutismus, in künstlerischer Hinsicht enttäuschen muß.

Die Hauptvertreter der französischen Barockmalerei, Claude Lorrain und Nicolas Poussin, müssen den größten Teil ihres Lebens in Rom verbringen; in der Heimat hat man für sie keine Verwendung, ihr Wirken bleibt daher für die französische Malerei gering. Der Sonnenkönig lehnt eine Kunst um ihrer selbst willen ab, sie hat sich in erster Linie seinen hochgesteckten Zielen unterzuordnen. Auch auf dem Gebiet der Baukunst läßt sich Ludwig in der Wahl seiner Hofarchitekten weniger von künstlerischen Erwägungen leiten. Lange Zeit bewirbt sich der große italienische Baumeister Bernini um die Gunst des Königs, ihm werden jedoch schließlich die phantasiearmen Architekten Levau und Mansart vorgezogen.

Das spanische Barock entwickelt unter dem Einfluß einer starren Hofhierarchie und der stark militant ausgerichteten Kirche einen geradezu asketischen Prunk (derartige Paradoxien sind für die Barockkunst typisch), gotische Formen werden hier barock umgestaltet. In Ermangelung einer zentralen, absolutistischen Gewalt bleibt in Italien der repräsentative Profanbau weitgehend unberücksichtigt, für den Sakralbau aber werden die später für ganz Europa vorbildlichen Lösungen gefunden.

Deutschland kann im 17. Jahrhundert auf Grund der dreißigjährigen Glaubenskämpfe und ihrer anhaltenden Folgen zunächst keinen nennenswerten Beitrag zum europäischen Barock leisten, erst im 18. Jahrhundert wird man hier mit eigenschöpferischen Leistungen den Rückstand aufholen.

190

Eine Sonderentwicklung durchläuft die Kunst der Niederlande, und zwar in jenen nördlichen Provinzen, die nach dem Abfall von der spanischen Krone zu politischer, religiöser, wirtschaftlicher und kultureller Selbständigkeit gelangen. Im Gegensatz zu dem benachbarten spanisch-monarchistisch regierten katholischen Flandern entsteht hier in dem republikanisch-protestantischen Holland ein bürgerliches Barock. Beide Schulen, die flämische und die holländische, werden wegweisend für die europäische Malerei; in ihrer völligen Gegensätzlichkeit vermitteln sie ein überzeugendes Bild von der gewaltigen künstlerischen Ausdruckskraft dieses Jahrhunderts, in dem trotz der Bevormundung durch Kirche und Fürsten die Kunst einen ihrer großen Höhepunkte erlebt.

Architektur

Der Raumstatik der Renaissance begegnet die Baukunst des Barock mit einer geradezu theatralischen Raumdynamik, bewirkt durch ein faszinierendes Zusammenspiel von Architektur, Plastik, Malerei und raffiniert geplanten Lichteffekten. Wie der Innenraum der kleinen Kirche San Carlo erkennen läßt, verwendet der Barockmeister fast alle, seit **191** der Renaissance gebräuchlichen Formelemente wie Halbsäule, Pilaster, Segment- und Dreieckgiebel und auch die Kuppel. Das Neue besteht aber in einer anderen, bewußt dynamischen Anordnung dieser bekannten Elemente zueinander und der sich dadurch ergebenden neuen Raumordnung. Am Grundriß wird dies offenbar. Aus dem gleich- **192** armigen griechischen Kreuz ist durch Verlängerung der Längsachse und durch elliptisch-dynamische Linienführung aus kunstvoll mathematischer Kurvenordnung ein in sich schwingender Einheitsraum geworden, in dem Zentralbau und Langhaus miteinander verschmelzen. Diese beiden Grundtypen der abendländlichen Sakralbaukunst, die bislang immer nebeneinander und konkurrierend bestanden hatten, finden hier erstmals konfliktlos zusammen. Es ist ein konvex vorschwingendes und konkav zurückweichendes Oval, dessen Säulen als einzig gerade Linien den jeweiligen Richtungswechsel eines kraftvollen Gesimses unterfangen, während ihre Zwischenräume wiederum in eigenwillig freier Raumdurchdringung zu den unregelmäßigen Sechsecken der Sakristeien und Eckkapellen führen. Nicht minder bewegt ist die Führung des Lichtes. Es bringt die unregelmäßigen und tiefaufgerissenen Kassettenformen der gleichfalls ovalen Kuppel in Erregung.

9

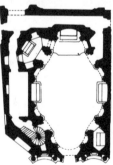

191–192 San Carlo alle Quattro Fontane in Rom, von Francesco Borromini. 1638 begonnen. Unten: Grundriß.

Es schafft einen geheimnisvoll wechselnden Schimmer mit halbrunden Schattenkontrasten über Altarapsis und Säulen, und es gleitet über die Nischen, die Skulpturen aus dem schattigen Dunkel hervorhebend. Auf diese Weise wird jeder statische Flächenzusammenhang in Bewegung versetzt.

Auch am Außenbau haben sich grundlegende Wandlungen vollzogen, wie die von Rainaldi 1645 begonnene und von Borromini vollendete Kirche Sta. Agnese zeigt. Die Wand, in der Renaissance stets als feste **193** Fläche verstanden, schwingt konkav in einem weiten Bogen zur Mitte **194** hin und verbindet somit die beiden Turmgruppen. Die dahinter aufsteigende große Kuppel wird durch diesen Schwung in die Fassade einbezogen. Es entsteht so eine formale Einheit verschiedener Baugruppen, die der Einheitlichkeit des Innenraums völlig adäquat ist. Hier wird der kuppelüberdeckte Zentralbau durch die ausgerundeten Kreuzarme und kleine halbrunde Nischen in ein dynamisches Raumgefüge gebracht, wobei der rechteckige Umfassungsbau mit der Vielzahl von ineinandergeschachtelten Nebenräumen die Bewegung auffängt, ohne dabei das Bewegungsspiel der barocken Raumstruktur zu behindern.

Während Italien mit der Sakralbaukunst richtungweisend für Europa wird, obgleich jedes Land eigene nationale Formen entwickelt, wird Frankreich zum eigentlichen Mutterland des profanen Barockbaus. Hier ist es Ludwig XIV., der sich vor den Toren von Paris als das übersteigerte Gleichnis eines universalen zentralistischen Lebensgefühls jenes gewaltige Schloß von Versailles errichtet, das allein durch seine **195** Dimensionen die sichtbare Selbstdarstellung seiner gottgegebenen Macht ist.

Der neue französische Schloßtyp unterscheidet sich von dem italienischen schon von der Außenansicht her. Der italienische Palazzo ist ein blockhafter Bau mit geschlossener Fassade und einem beschei- **163** denen, nach innen geöffneten Hof. Das französische Schloß empfängt den Gast im weiten Ehrenhof und distanziert zugleich durch das die «Cour d'honneur» abschließende Gitter die bürgerliche Welt. Die Schauseite liegt also nicht mehr an der Straßenfront, sie bleibt mit der Gartenfassade nur der auserwählten höfischen Gesellschaft vorbehalten.

Das Schloß von Versailles steigert nun die Proportionen zu den Ausmaßen eines Prachtbaus mit Räumen für mehr als 10 000 Personen. Der innere Ehrenhof ist noch relativ bescheiden, da er in der Grundsubstanz auf das noch wesentlich kleinere Jagdschloß Ludwigs XIII. zurückgeht. Die Architekten Louis Levau und Jules-Hardouin

Mansart ummanteln den vorhandenen Schloßtrakt nach drei Seiten mit dem Kriegs- und Friedenssaal und nach der Gartenfront mit der Spiegelgalerie. Der an der Gartenseite stark hervortretende und durch seine architektonische Gliederung sowie seinen bauplastischen Schmuck betonte Mittelbau wird mittels langgestreckter Flügel, die selbst wieder Innenhöfe umschließen, auf eine Breite von 576 Metern erweitert. Miteinbezogen in die Gesamtkonzeption der Schloßanlage ist der sich weit ins Land erstreckende Park. Seine Hauptachse mit zahllosen Skulpturen und Bassins richtet sich auf den Hauptbau des Schlosses und findet seine Fortsetzung in dem gewaltigen Ehrenhof und in dessen Verlängerung in einer auf das Schloß zulaufenden Prachtstraße. Diese Längsachse wird im Park von einem großen künstlichen Kanal rechtwinklig durchschnitten. Weitere Brunnen, Bassins, Gartentempel und kleinere Schlößchen liegen verteilt in der riesigen Gartenanlage und werden verbunden durch ein geometrisches System von Schneisen, Wegen und breiten Alleen.

Zur Gliederung der Außenwand bedient man sich des Prinzips der Aneinanderreihung gleicher Einzelformen, nach dem man in Italien bereits im 16. Jh. gebaut hatte. Die Eintönigkeit dieser bis ins Unendliche fortführbaren Folge wird durch gelegentliche Vorlagen von Pilastern oder Halbsäulen vermieden. Eine weitere Flächenbereicherung stellen die aus der Fassadenflucht vorgezogenen, säulentragenden Gebälkvorsprünge dar. Aber dieser Wechsel von vor- und zurückspringenden Gebäudeteilen vermag den Charakter der festlichen Reihung von untereinander gleichwertigen Größen nicht zu beeinträchtigen, er verleiht dem Baukörper lediglich eine kühl-verhaltene Bewegung, wodurch er sich untrüglich als Barockbauwerk zu erkennen gibt. Die Repräsentations- und Wohnräume sind zum Hof hin zwei-, zur Gartenseite eingeschossig gebaut. Das Untergeschoß, in dem sich die Wirtschaftsräume befinden, ist zur Unterstreichung seiner funktionellen Aufgabe als tragender Sockel rustiziert, das Obergeschoß ist als Mezzanin, als Halbgeschoß, ausgebildet. So von zwei Hilfsetagen in die Mitte genommen, erhält das Hauptgeschoß eine starke Akzentuierung, die der hervorragenden Stellung des Monarchen in der höfischen Gesellschaft entspricht.

Wie Versailles vor den Toren von Paris, so wachsen in der Folgezeit ähnliche Anlagen in ganz Europa: Schönbrunn bei Wien, Caserta bei Neapel, Peterhof bei Petersburg, Nymphenburg bei München, Ludwigsburg bei Stuttgart und die Erzbischöfliche Residenz in Würzburg — alle aus dem gleichen Hochgefühl des Absolutismus entworfen.

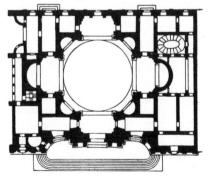

193–194 Sa. Agnese, Rom,
1652 von Girolamo Rainaldi
begonnen, 1653–57 von
Borromini fortgeführt,
1657–72 von Carlo Rainaldi
beendet.

Bildkunst

Die Malerei nimmt ebenso wie die Architektur in Rom ihren Ausgang. Hier hatte die Renaissance im Manierismus ihre letzte große Ausdrucksform gefunden, indem sie der nach Natürlichkeit und Harmonie strebenden Kunstrichtung eine bis ins Ekstatische übersteigerte Verinnerlichung entgegensetzte. Aber der Manierismus erwies sich nicht als entwicklungsfähig, er war eine Verfallserscheinung, kein Neubeginn. Dazu war er zu spirituell, zu blutarm.

Der neuentfachte Wirklichkeitssinn zu Beginn des 17. Jahrhunderts, begünstigt durch die neuen Erkenntnisse der Naturwissenschaft (Kepler, Bacon, Galilei) und Philosophie (Descartes, Spinoza) äußert sich in der Malerei in einem kraftvollen, dynamischen Realismus. Am Anfang der Barockmalerei steht Caravaggio mit seinen dramatischen religiösen Szenen, bei denen die Heilswahrheit bildlich in Einklang gebracht wird mit der harten Wirklichkeit des Diesseits. Die «Berufung des Matthäus» verlegt er in eine Landsknecht-Wechselstube, in der Christus selbst nur als verdeckte Hintergrundsfigur unter der breit einfallenden Bahn des «Kellerlichtes» erscheint. Das Licht wird nun aktiver Teil des Geschehens: es folgt der ausgestreckten Hand Christi und reißt die Figuren vollplastisch aus dem Dunkel ihrer Existenz mit der Kraft einer Erleuchtung.

Das Licht ist auch bei den Landschaften Claude Lorrains wesentliches Stilmittel, um Wirklichkeit, und zwar kos-

196

197

195 Versailles, erbaut 1668–1710 von Louis Levau und J. Hardouin-Mansart. Gemälde von P. D. Martin. 1722. Versailles, Museum.

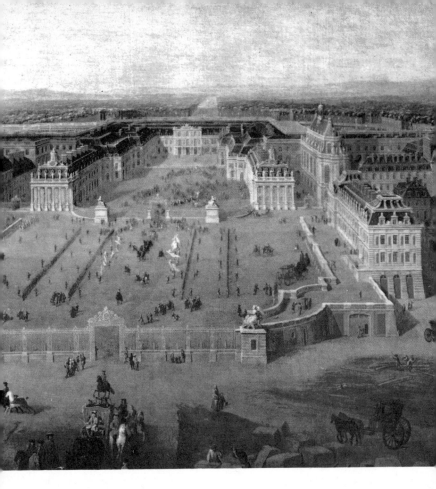

mische Wirklichkeit, erfahrbar zu machen. Während Caravaggio bereits die typisch barocke Diagonalkomposition verwendet, bevorzugt dieser Barock-Klassizist noch die symmetrische Komposition. Dennoch erzielt auch er eine vehemente Raumdynamik, indem er am Bildrand mächtige Architekturstaffagen auftürmt, die den Blick in eine tiefe Raumschlucht zwingen. Dieser Bewegung entgegen flutet das Licht der Sonne, das den Himmel mit atmosphärischem Glanz erfüllt und die an sich so statische Szene vibrieren läßt. Dieser die geistige und physische Existenz des Menschen erfassende Realismus ist seit Cara-

vaggio bestimmend für die Barockmalerei, als dessen typischer Repräsentant Rubens gilt. Bei ihm gibt es keine trennenden Grenzen mehr zwischen himmlischem und irdischem Geschehen. Vergeistigte Schönheit, blutvolle Vitalität, religiöse Gefühlsekstase und vordergründige Sinnlichkeit fügen sich konfliktlos zum Bildganzen. Seine Ölskizze zeigt die gleiche Formfülle, die gleiche dekorative Pracht, das gleiche bewegte Kompositionsprinzip im irdischen wie im himmlischen Bereich. In den kennzeichnend barocken Diagonalen, die hier zu elliptisch kreisender Rhythmik aus unerschöpflich variierten Körperdrehungen zusammenfließen, und in lebhaften, sprühenden Farben wird aus dem stillen Andachtsbild der Renaissance ein theatralisches Ereignis. Auf dieser festlichen Bühne treffen sich Heilige und Krieger,

196 Caravaggio (1573–1610), Berufung des Matthäus (Ausschnitt). Um 1600.
Rom, San Luigi dei Francesi.

197 Claude Lorrain (1600–1682), Einschiffung der hl. Paula in Ostia.
Madrid, Prado.

198 Peter Paul Rubens (1577–1640), Madonna mit Heiligen. Um 1628.
Berlin-Dahlem, Gemäldegalerie.

199 Jan Brueghel d. Ä. (1568–1625), Kleiner Blumenstrauß in einem Tongefäß.
1599. Wien, Kunsthistorisches Museum. ▶

18

geistliche und allegorische Gestalten, ein fast völlig entkleideter Sebastian und eine Madonna in wallenden Gewändern, amorettengleiche Putten und ein in seiner Körperlichkeit irdisch empfundener Jesusknabe: barockes Erleben in allen Ausdrucksformen.

In den benachbarten Niederlanden entwickelt sich die Barockmalerei zur gleichen Zeit wesentlich diesseitiger und bürgerlicher. Der calvinistische Protestantismus, von jeher bilderfeindlich, steht hier der religiösen Malerei entschieden ablehnend gegenüber, die republikanische

Gesinnung dieses Volkes läßt eine höfische Bildkunst im Dienst der absolutistischen Idee nicht zu. Man befaßt sich daher weniger mit irrationalen Themen als mit der Wirklichkeit des Alltags, mit der heimatlichen Landschaft, mit der gewohnten Häuslichkeit, mit den diese Gesellschaft repräsentierenden Menschen.

So werden hier eine Reihe von Themenkreisen der Bildkunst erschlossen, die bislang nicht als darstellungswürdig galten, so z. B. das Stilleben. Blumen, häusliche Gerätschaften, Obst, edle Weingläser, Zinn- und Silberzeug. Dies alles wird zu sinnhaftem Vortrag gebracht, realistisch zwar in der dinglichen Detaillierung, aber dennoch fast modern anmutend in der formalen Zueinanderordnung reiner Objekte zu einer harmonischen Komposition. So unliterarisch diese Stilleben auch auf den ersten Blick erscheinen, ihnen liegt dennoch eine tiefgründige, moralisierende und damals allgemein verständliche Gedanklichkeit zugrunde: Die Schönheit des Irdischen ist stets vergänglich; so wie die Blume in ihrer schönsten Pracht erste Zeichen des Verfalls zeigt, so soll auch der Mensch sich seiner Vergänglichkeit **199** bewußt sein. In Brueghels herrlichem Blumenstrauß nistet denn auch schon allerhand listiges Getier, das den Zerfall beschleunigt. Einige Blüten sind bereits abgefallen – zusammen mit den Münzen und dem Ring, alten Symbolen der Eitelkeit, sollen sie zur Meditation über die Endlichkeit des eigenen Lebens anregen.

Auch das Genrebild, eine von den Niederländern entwickelte Bildgattung, ist gewissermaßen als weltliches Andachtsbild zu verstehen. In Vermeers zauberhaften Szenen erlebt es seine glänzendste Verwirklichung. Die Themen sind von berückender Einfachheit. Ein Mädchen wiegt Perlen, ein anderes liest einen Brief, eine Magd gießt Milch aus **200** einer Kanne, ein Maler arbeitet im Atelier. Vermeer malt keine Handlungen, keine Ereignisse, nur Zustände und Stimmungen. Er malt Augenblicke von solch unwiederbringlicher Schönheit, als hätte die Zeit den Atem angehalten, um diesen Augenblick für die Ewigkeit zu bewahren. Das dynamische Pathos eines Rubens und die Stille eines Vermeer bezeichnen die äußersten Möglichkeiten der Barockmalerei, zwischen denen sich diese Bildkunst entwickelt hat.

200 Jan Vermeer van Delft (1632–1675), Der Maler in seinem Atelier.
Um 1665. Wien, Kunsthistorisches Museum.

201 Porzellan aus Frankenthal: Toilette der Venus.
Modell von Johann Wilhelm Lanz. Um 1760. München, Residenz-Museum.

ROKOKO

Das Barock war trotz des steifen Zeremoniells und trotz aller Anmaßung und Überspitzung in den Formen ein männliches Zeitalter. Die
darauffolgende Epoche, das Rokoko, die etwa mit dem Tod Ludwig XIV.
(1715) ihren Anfang nimmt, ist vornehmer, gekünstelter, steifer und
daher auch zerbrechlicher. Man kann es schon als ein Symptom für
diese Zeit ansehen, daß zu Beginn dieses 18. Jahrhunderts für Europa
das Porzellan erfunden wird. Bislang aß und trank man aus schwerem
Silbergeschirr, schuf mächtige Skulpturen aus massivem Stein, jetzt
benützt man das zerbrechliche Porzellan sowohl für das Tafelgeschirr
als auch für die kleinen, zierlichen Figurinen, in denen sich der Geist **201**
dieses galanten Zeitalters widerspiegelt.

Die absolute Autorität der Monarchie und der Kirche hatte im
17. Jahrhundert die Entwicklung jener kraftvollen Ausdrucksformen ge-
fördert, die die Repräsentanten des Absolutismus zur Selbstdarstellung und zur sinnenhaften Verdeutlichung ihres anmaßenden Macht-
anspruchs benötigten. Im 18. Jahrhundert verlieren diese Autoritäten
an Glaubwürdigkeit, nicht nur, weil einige weltliche und kirchliche
Fürsten durch einen leichtfertigen Lebenswandel geistig und moralisch
unglaubwürdig werden, es ist vielmehr das durch die Naturwissen-
schaften und die Philosophie entwickelte vernunftmäßige Denken, das
den Menschen nun befähigt, die Schwächen des alten Gesellschafts-
systems zu erkennen. Diese aufgrund des kritischen Denkens gewon-
nene optimistische Lebenssicherheit und das damit verbundene unbe-
grenzte Selbstvertrauen in die eigenen Möglichkeiten führt schließlich
auch zu einer Verfeinerung der individuellen Gefühlswerte. Man liebt
die heitere Idyllik der Schäferdichtung, die anakreontischen Verse,
und statt der sittlichen Heroik der Pflicht, Ehre und Willensstärke in
den Tragödien des 17. Jahrhunderts bevorzugt man jetzt die Wirklichkeit der Komödie mit ihrer wirklichkeitsnahen Typisierung und ihrem
brillanten Konversationsstil.

Die bildende Kunst ist in dieser Epoche eine willige Dienerin dieser
geistig und moralisch emanzipierten Gesellschaft. Dennoch ist das
Rokoko kein eigener, originaler oder deutlich vom Barock abzugren-
zender Kunststil. Denn es steht nicht im Gegensatz zur Kunst des

17. Jh., sondern bedeutet lediglich eine Weiterentwicklung und Verfeinerung von barocken Stil- und Formelementen. Ein Widerspruch besteht allerdings zum Barock insofern, als das Barock die Natur und die Landschaft, die Realität, in die Kunst mit einbezieht, während das Rokoko bewußt zum Unnatürlichen, Gekünstelten und Poetisch-Verspielten strebt. Jedoch vollzieht sich dieser Übergang zu Beginn des 18. Jahrhunderts nicht als Protest, sondern als schöne Verweichlichung, bisweilen auch als Verniedlichung. Die Farben im Gemälde verlieren an Kraft und Ausdruck, die Architekturformen zerfließen in üppige Ornamentik, die Skulpturen werden grazil-verspielt. So läßt sich eine zeitliche Grenze zwischen Barock und Rokoko nicht immer eindeutig ziehen, zumal auch das gesellschaftliche und politische Klima in den

einzelnen Ländern derartig verschieden ist, daß sich alleine daraus das differenzierte Erscheinungsbild des Rokoko innerhalb Europas erklärt.

Architektur

Bedingt durch den Dreißigjährigen Krieg und seine langanhaltenden Folgen gewinnt der deutschsprachige Raum erst im 18. Jahrhundert Anschluß an das europäische Barock, dann aber entwickelt man Ausdrucksformen, die alle Vorbilder an Phantasie und Originalität übertreffen. Dieser Einfallsreichtum und die spätbarocke Freude am beschwingten Formspiel läßt sich bereits an der völligen Verschiedenheit der hier vorgestellten Grundrißfiguren erkennen. Das Problem der vollkommenen Verschmelzung von Zentralbau und Richtungsbau löst Fischer in Ottobeuren durch eine in die Mitte des Langhauses gelegte Vierungskuppel, **203** von der die übrigen Raumteile kreisend ausschwingen. In München-Berg-am-Laim verfolgt er diese Idee der ineinanderfließenden Räume weiter, **204** indem er die verkürzten Querhausarme in das Kreisrund eines riesigen Zentralraums einbezieht und einen weiteren kleineren Zentralraum nach Osten hin anfügt. Hier zeigt sich eine Vorstufe zu dem im deutschen Barock mit Vorzug verwendeten elliptischen Raum, der aus **205** zwei zusammengeschmolzenen Rundräumen entsteht.

202 Das Obere Belvedere, Palais für Prinz Eugen von Savoyen, Wien. Von Lucas von Hildebrandt (1668–1745). Begonnen 1721.

25

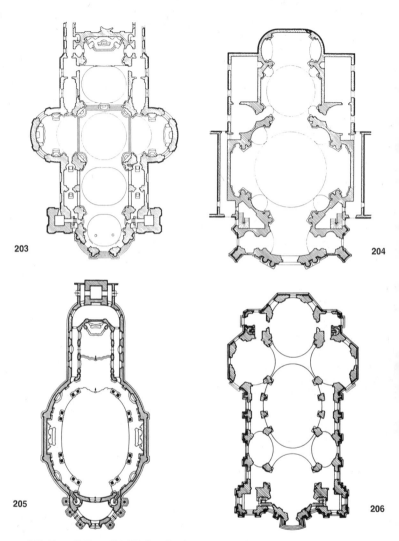

203 Benediktiner-Abteikirche Ottobeuren (Johann Michael Fischer). 1748/1766. – **204** St. Michael in München-Berg-am-Laim (Johann Michael Fischer). 1739/1744. – **205** Wallfahrtskirche in der Wies bei Steingaden (Dominikus Zimmermann). 1746/1754. – **206** Wallfahrtskirche Vierzehnheiligen (Balthasar Neumann). 1744/1763.

So entwickelt Neumann bei der Wallfahrtskirche Vierzehnheiligen aus elliptischen und runden Räumen eine höchst anmutige Raumstruktur. Genau im Mittelpunkt steht beherrschend der Gnadenaltar, umrundet von einem durch Säulen begrenzten Längsoval, das nach oben in einer Flachkuppel ausschwingt. Zwei Kreisräume bilden ein **206** Querschiff, Eingang und Chor sind wieder elliptisch gegeben, zwei kleinere Raumellipsen vermitteln zwischen Zentral- und Westraum. Es schwingen also im Innern elliptische und kreisförmige Räume in vielfacher Durchdringung ineinander, in ihrer Vielstimmigkeit einer Bachschen Fuge vergleichbar.

Kennzeichnend für die Profanbaukunst des Rokoko ist das leichtgliedrige Gartenpalais, das in zunehmendem Maße den monumentalen Schloßbau des Barock verdrängt. Hier kann sich der Individualist unbehelligt von einer aufgeblasenen Hofgesellschaft entfalten. Bezeichnungen wie Sanssouci, Monrepos oder Belvedere weisen auf den intim-privaten Charakter dieser Residenzen hin. Das Gartenpalais des Prinzen Eugen ist eine rhythmisch bewegte Komposition aus sieben spiegelgleich zusammengefaßten pavillonartigen Baukörpern, deren geknickte Mansardendächer von der Mitte her in schöner Ausgewogen- **202** heit in die vier Kuppeln der Eckpavillons ausklingen. Die eingeschossige, giebelüberdeckte Vorhalle ist von fast bürgerlicher Gemütlichkeit, die beiden breiten, zweigeschossigen Trakte nehmen sich daneben herrschaftlich-selbstbewußt aus, aber ohne jede fürstliche Anmaßung. Zwei eingeschossige, auch in der Breite bescheidene Bauten vermitteln zu den turmartigen Pavillons, die in ihrer Monumentalität der Anlage den Charakter einer befestigten Burg verleihen – höchst verschiedene Bauideen also, die aber in einen anmutigen Zusammenhang gebracht sind. In dieser spielerischen Anordnung von in Form und Stil sich geradezu widersprechenden Gruppen offenbart sich deutlich der Geist des Rokoko.

Einen guten Eindruck von der Anmut spätbarocken Bauens vermittelt das Treppenhaus in der bischöflichen Residenz zu Würzburg. In fürstlicher Raumverschwendung hat Neumann hier zwei spiegelgleiche Treppenläufe geplant, aber nur einer davon wird ausgeführt. Doch er allein genügt, um diesem monumentalen Innenraum eine festliche Stimmung zu geben, die sich von hier aus auf die mächtige Raumfolge **207** von Vorhalle, Gartensaal und Kaisersaal ergießt. Der heitere Rausch der Architektur wird durch die Deckenfresken des Venezianers Tiepolo im Treppenhaus und im Kaisersaal ins Unermeßliche gesteigert. Das Lastende der Decke wird durch das 600 qm große Fresko aufgelöst in farbiges Licht, das aus einem offenen Himmel sich in den Raum zu ergießen scheint. Dieser Himmel ist angefüllt mit einem buntbewegten Wirbel von Figuren, der die Grenze von Architektur und Malerei raffiniert überspielt (der Hund scheint auf dem vorspringenden Gesims zu stehen). Stukkaturen schieben sich in die Darstellung hinein, und gemalte Personen ergreifen mit Hilfe von plastischen Gegenständen, die sie in den Händen halten, Besitz von dem architektonischen Raum. Mit diesem Illusionismus wird eine völlige Einheit zwischen Malerei, Plastik und Architektur hergestellt.

Plastik

Am Beispiel von Würzburg wird deutlich, daß im Spätbarock eine klare Trennung von Architektur und Plastik nicht ohne weiteres möglich ist, da sich die Skulptur im Rahmen des Gesamtkunstwerkes der Architektur dekorativ integriert. Gelegentlich kann sie auch umgekehrt eine dem Bauwerk sinngebende Funktion einnehmen, wie das etwa in der Klosterkirche Weltenburg geschieht. Hier ist die Baukonzeption darauf ausgerichtet, den Georgsaltar ins «rechte Licht» zu stellen. Aus diesem Grund gibt der Architekt Cosmas Damian Asam dem Gemeinderaum nur eine verhältnismäßig sparsame Beleuchtung, auch den Altar bezieht er in das geheimnisvolle Dunkel ein und schirmt ihn durch einen gewaltigen Aufbau ab. In dem dahinter liegenden Raum aber ordnet er riesige Fensterflächen an, durch die sich eine Flut von strahlendem Licht an das Kirchenschiff ergießt. Und in das Zentrum dieser gleißenden Lichtquelle stellt sein Bruder Egid Quirin Asam, von hinten effektvoll indirekt beleuchtet, das Reiterstandbild des hl. Georg. Wie eine überirdische Vision erscheint der Heilige auf der Bühne des Altars; umspielt von göttlicher Helligkeit bringt er Hilfe und Licht der in Dunkelheit verharrenden Welt. Das religiöse Erlebnis wird hier zum spektakulären Theaterauftritt, eine Analogie zum damaligen Theater, das auch das Schauspiel zur Darstellung überirdischer Ereignisse heranzieht.

Das Theatermäßige der spätbarocken Skulpturkunst läßt sich auch anhand der damals verwendeten Materialien belegen. Da alles nur auf den sinnlichen Effekt, den blendenden ersten Eindruck ausgerichtet ist, verwendet man anstelle von Sandstein oder Marmor minderwertige Werkstoffe, wie beispielsweise Marmorstuck (gemahlenen farbigen Sandstein, mit Gips vermengt, gegossen und geschliffen) oder Holz,

207 Treppenhaus der Würzburger Residenz. 1737. Von Balthasar Neumann (1687–1753).

208 Benediktinerkirche Weltenburg/Donau mit Georgsaltar. 1717–1721 erbaut von Cosmas Damian Asam und Egid Quirin Asam.

das einen steinimitierenden Farbüberzug erhält. Derartige Figuren, die ja niemals detailliert betrachtet werden sollen, wollen also etwas vortäuschen, ähnlich wie es die Kulisse auf der Bühne will.

Malerei

Die Lust am unverbindlichen Spiel, an einer von aller Gedanklichkeit unbelasteten Sinnenfreude findet ihren vielleicht reinsten Niederschlag in der Malerei dieser Zeit, weil sie das Auge, ohne Zuhilfenahme der Ratio, unmittelbar anzusprechen vermag. Mit der galanten Malerei des Rokoko stehen wir – lange bevor der Begriff «l'art pour l'art» geprägt wird – vor einer Kunst, die um ihrer selbst und nicht um ihres Inhalts willen gewertet wird.

Am reinsten erscheint diese beschwingte Schwerelosigkeit in der neuen Bilderfindung Watteaus, die ihm den eigens für ihn von der Akademie geschaffenen Titel «Maître des fêtes galantes» einbringt. Bilder wie «Leçon d'Amour» oder «Einschiffung nach Kythera», der griechischen Insel, auf der man die Liebesgöttin Aphrodite verehrte, ist gleichsam eine ins Überzeitliche transponierte Darstellung der Gartenfeste, wie sie damals an den Fürstenhöfen üblich sind. Vor der verheißungsvoll schimmernden Ferne der Liebesinsel bewegt sich hier der Zug der Liebenden inmitten einer gesättigten warmen Farbigkeit, die Mensch und Natur über schwebende Umrisse zusammenführt, zu einer goldenen, von Eroten umschwebten Barke mit rosenroten Segeln hinab. Die Eleganz der Kavaliere, die zartgliedrigen Damen in ihren kostbar seidenen Gewändern und die Anmut der Gebärden von Werbung, verhaltenem Zögern und Nachgeben, all dies verleiht der Szenerie jene Atmosphäre weltfernen Friedens und poetischen Zaubers, in der die zartesten menschlichen Empfindungen erlebt werden. Daß es sich um eine Welt des schönen Scheins handelt, die mit der Wirklichkeit der höfischen «fêtes galantes» in keinerlei Zusammenhang steht, darüber läßt der Künstler den Betrachter keineswegs im Unklaren. Denn ebenso wie die Akteure seiner Szene reine Idealgestalten der Gesellschaft seiner Zeit sind, so ist auch die Landschaft ein nur erträumbares Arkadien, wie in den duftig, durchlichteten Tönen die Naturformen ihre Realität verlieren und sich in rein malerische Strukturen auflösen.

Ein halbes Jahrhundert später wird bei Fragonard aus diesem zeitlos gültigen Poem, wie es noch Watteau versteht, ein höchst vordergründi-

209

210

209 Antoine Watteau (1684–1721), Einschiffung nach Kythera (Ausschnitt). Um 1717. Berlin-Dahlem, Gemäldegalerie.

210 Jean-Honoré Fragonard (1732–1806), Die Schaukel. 1766. London, Wallace Collection.

ges amouröses Spiel. Die Dame auf der Schaukel – man weiß, daß es sich um die Geliebte eines reichen Barons handelt – präsentiert sich in einer Rolle, in der sich die Frau des 18. Jahrhunderts allgemein gefällt: als die kleine kokette Schäferin im Duett mit ihrem schmachtenden Liebhaber. Eine fantastische Parklandschaft, kulissenhaft-unwirklich in blassen Pastelltönen – ist Schauplatz der kleinen Idylle, die den

Hauch eines unschuldigen Spiels atmet und die dennoch nicht ohne Pikanterie ist. Die Dame ist jener kindlichreife Typ, dem das Rokoko gerne huldigt und der mit raffinierter Naivität sich Geltung verschafft. Hier gibt ihr die Schaukel Sicherheit vor direkten Zudringlichkeiten, und dieses Gefühl ermutigt sie, ein ganzes Feuerwerk von Koketterien abzuschießen. Unbekümmert läßt sie ihre üppigen Röcke fliegen und bietet so dem Liebhaber reizvolle Aspekte. Ungewiß bleibt, wem der übermütig hochgeschleuderte Schuh gilt, dem Kavalier oder der kleinen Amorstatue, die so in das Geschehen mit einbezogen wird. Im Hintergrund bleibt der dritte Akteur, dem es obliegt, die Schaukel in Gang zu halten – ein Mitspieler in einem Dreiecksverhältnis?

Das unbeschwerte, nicht selten frivole Treiben des Rokoko hat aber in der Malerei nicht nur Bewunderung und Bestätigung gefunden, gelegentlich werden auch Stimmen der Kritik an dieser Gesellschaft laut. So ist es der Engländer William Hogarth, der mit einer Reihe von teils satirischen, teils anklagenden Bildszenen die Sittenlosigkeit seiner Zeit anprangert. Sie finden Gefallen beim Publikum, doch weniger auf Grund der sozialkritischen, moralisierenden Zielsetzung, sondern wegen der realistisch-humoristischen Darstellungsweise. So bleibt Protest für die Betroffenen zunächst ohne Folgen, erst die Revolution wird zu dieser Anklage auch ein Urteil sprechen.

Mode und Möbel

Die Mode des Barock wird im Gegensatz zur geometrischen Formstrenge des Manierismus und der spanischen Mode durch das gleiche dynamische Lebensgefühl geprägt wie Architektur und bildende Kunst. Die Halskrause, die früher den so augenfälligen Kontrast zu den glattgespannten oder ausgestopften Gewandpartien bildete, senkt sich jetzt zunächst ungestärkt herab und weicht später dem flächig auf die Schultern fallenden Spitzenkragen. Der Hut kann mit breiter Krempe je nach Temperament weit, hoch oder schräg ausschwingen, die Haare fallen frei herab. Wo der erwünschte Naturwuchs fehlt, ersetzt man ihn durch die Perücke. Sie ist seit Ludwig XIII., vor allem in Frankreich, das imposanteste Kennzeichen der modischen Formsteigerung. Die Allonge-Perücke fällt mit hochgewelltem Scheiteln in zwei Flügeln über Schultern und Brust.

Die Herrenmode hält sich auch weiterhin an das Wams, das füllig in Schöße ausläuft oder eng anliegen kann. Die Ärmel enden in Spit-

211

211 Dirk Hals
(1591–1659), Festmahl.
(Ausschnitt.)
1628. Wien, Akademie der
Bildenden Künste.

zenmanschetten oder geben als Dreiviertelärmel das spitzenbesetzte Hemd frei. Die Hose fällt beutelförmig locker zu den Strümpfen herab und wird dort mit rosettengeschmückten Bändern gehalten. Um 1675 kommt man zur heute noch üblichen Dreiteilung des Herrenanzuges. Aus dem Wams wird die knielange Ärmelweste, darüber trägt man das **212** reichgeschmückte taillierte «Justaucorps» (eng am Körper), die Hose wird zur schlanken Kniehose über Seidenstrümpfen und Spangenschuhen.

35

211

210

214

212 Antoine Watteau (1684–1721),
Firmenschild des Kunsthändlers
Gersaint (Ausschnitt). Um 1720.
Berlin-Charlottenburg, Schloß.

Die Frauenmode des Barock gibt die geometrische Strenge des spanischen Reifrocks auf, behält jedoch die füllige Hüfte und das enge Mieder bei. Über einem andersfarbigem Unterkleid trägt man die glockenförmige «Robe ronde», die meist vorne gerafft wird und nach hinten in einer kleinen Schleppe endet. Im Rokoko wird die Frauenmode verspielt-kokett, mit Rüschen, Volants, kapriziösen Spitzen und feinen, auftragenden Unterröcken. Ein kuppelförmiges Pannier (Korb) tritt an die Stelle des alten Reifrockes und bewirkt jene typisch spätbarocke weibliche Silhouette, die vom überweiten Rock über schmale Schultern zum schmalfrisierten Kopf kegelförmig verläuft.

Die Möbel vermehren sich im Barock um das Ruhebett, den Schreibtisch, den Konsoltisch, die Kommode (eine Weiterentwicklung des alten Schubladenschranks) und den gepolsterten Fauteuil. Er ist, wie alle Möbel der Zeit, stabil, schwer, er besitzt eine nach hinten geneigte Lehne, ferner die auch für den Tisch kennzeichnenden X- oder H-förmigen Stege zwischen den üppig geschnitzen kantigen, also nicht mehr gedrehten Beinen. Während das bürger-

liche Barock das Naturholz (massiv oder furniert) bevorzugt, werden die fürstlichen Möbel oft prunkvoll vergoldet.

Das Rokoko bringt dann aus dem neuen Geist seiner Dekorationsformen als Kennzeichen durchgehend die Schweifung bis zur Flächenwölbung. Abgerundete Ecken, schräge Kanten und eine fantasievolle, feinlinige Ornamentik nehmen den Möbeln jede Schwere. Alle Teile verschmelzen über die bisher gewahrte tektonische Gliederung hinweg zur dekorativ-plastischen Einheit. Aus den steifen Balusterbeinen werden die «pieds de biche» (Beine der Hindin). Belebt und gerahmt werden die Stirnflächen mit vergoldeten Bronzen und Intarsien aus verschiedenfarbigen edlen Hölzern. wie Ahorn, Mahagoni, Eben- und Rosenholz. – Mit dem «Louis Quinze» (Ludwig XV.), nimmt der festlichste und der am meisten kopierte Möbelstil aller Zeiten sein Ende.

213

213 Kommode von Charles Cressent, Paris. Um 1730. Frankfurt/M., Museum für Kunsthandwerk.

214 Französischer Fauteuil. Um 1700. Paris, Musée des Arts Décoratifs.

DER KLASSIZISMUS

215 Jacques-Louis David (1748–1825), Schwur der Horatier. 1784. Paris, Louvre.

Mit dem Sturm auf die Bastille am 14. Juli 1789 beginnt ein neues Kapitel der Menschheitsgeschichte – zu lange schon hatte sich eine Gesellschaftsform gehalten und der Mensch sich in ein System eingeengt gefühlt, das ihn in gleicher Weise abhängig machte, wie es ihm Sicherheit bot. Mit der Hinrichtung des Adels unter dem Fallbeil der Guillotine wird auf grausame Weise jener tiefe Abgrund sichtbar, der schon lange zuvor zwischen einer despotisch waltenden Hofhierarchie und einem geistig mündig gewordenen Bürgertum bestanden hatte. In der Bewegung des «Sturm und Drang», angeregt durch Rousseaus Forderung «Zurück zur Natur», kündigte sich bereits um die Jahrhundertwende der wachsende Widerstand gegen die Konventionen des Rokoko und gegen das sterile Gelehrtentum der Aufklärung an. Das «Originalgenie» trat in laute Opposition zu dem Rationalisten, das seine Freiheit fordernde Individuum widersetzte sich der Autorität fürstlicher Willkür. Diese mehr emotionell bestimmte Geisteshaltung findet dann in der Romantik ihre schönste Entfaltung. Den Ausgleich zu dieser oft unkontrollierbaren Gefühlsseligkeit bildet der Klassizismus, der sich in gleicher Weise gegen das heroische Pathos des «Sturm und Drang» wie gegen die sinnentleerten Formen des Rokoko wendet.

Angeregt von den ersten sensationellen Ausgrabungen in Herkulaneum und Pompeji schreibt 1764 der deutsche Gelehrte Johann Winckelmann seine «Geschichte der Kunst des Altertums», die in alle europäischen Sprachen übersetzt wird. In ihr stellt er «den Verwirrungen des Formensinns, der Maßlosigkeit im Ausdruck und dem frechen Feuer» des Barock die «edle Einfalt und stille Größe» des antiken Griechenlands entgegen. Dieser Kunst, so proklamiert er, gelte es nun nachzustreben. Aus dem Erbe der Römer und Griechen also entwickeln die Künstler erneut über die «gemeine Natur hinaus» ihr eigenes Schönheitsideal.

Seinem Wesen nach ist der Klassizismus keineswegs revolutionär, wie er sich gelegentlich gibt, sondern eher restaurativ eingestellt. Dennoch darf er nicht als eine Epoche der Wiederbelebung antiker Formen angesehen werden, denn diese Formen waren seit der Renaissance zumindest in der Baukunst ständig in Gebrauch. Säulen, Pilaster und zahllose Einzelelemente der Antike finden sich sowohl in der Barock- wie in der Rokoarchitektur, wenngleich auch in antiklassische, nämlich dynamische Beziehung zueinander gebracht. Die Klassizisten sehen in der Antike ein Gesinnungsvorbild, sie wollen dem lustvollheiteren Lebensstil des Rokoko mit würdevoll-ernsthafter Natürlichkeit begegnen – keiner Natürlichkeit im Sinne Rousseaus, sondern im Sinne einer aus innerer Harmonie erwachsenen Menschlichkeit. Wenn uns diese Zielsetzung heute widerspruchsvoll und sogar peinlich anmutet, die Resultate, die aus dieser Gesinnung heraus entstehen, sind nicht minder pathetisch als die des vorangegangenen Barock, ohne allerdings dessen dynamischen, dekorativen Überschwang zu besitzen.

Für einen echten Neuanfang mit reinen Elementarformen ist die Zeit noch nicht reif, auch wenn sich mit der beginnenden Industrialisierung die Notwendigkeit reiner Zweckbauten abzeichnet. So bleiben denn auch die schmucklosen stereometrischen Kubus- und Kugelbauten, mit denen sich gegen Ende des Jahrhunderts die Franzosen Ledoux, Boullée und der Deutsche Friedrich Gilly als frühe Vorläufer der modernen Baukunst beschäftigen, nur Entwürfe. Diesem Mangel an Glaubwürdigkeit verdankt der Klassizismus seine nur kurze Lebensdauer.

Architektur

Die klassizistische Architektur läßt im Grundriß nur noch die Gerade, den rechten Winkel und bei Zentralbauten die Kreislinie gelten. Diese

216 Glyptothek in München.
1816–1830 erbaut von Leo v. Klenze
(1784–1864). Wiederaufbau.

40

linear-geometrische Ordnung führt im Aufriß – im Gegensatz zu den quellenden, vielfach sich rundenden Formen der vorangegangenen Epoche – zu glatten Flächen. Das Panthéon in Paris gilt als der erste **218** große Bau des Klassizismus. Sein Baumeister Germain Soufflot hatte fünf Jahre vor diesem Monumentalbau die in Süditalien gelegenen griechischen Tempel von Paestum vermessen und studiert, diese Erfahrungen finden nun hier ihren unmittelbaren Niederschlag. Eine tempelartig gestaffelte Säulenvorhalle gibt dem Zentralbau eine weihevolle Würde, die glatten Wandflächen der verlängerten Kreuzarme erhalten durch ihre konsequent geometrische Gliederung feste Formbegrenzung, ganz im Gegensatz zu den dynamischen Wandformen des Barock. Die 117 Meter hohe, von einer Laterne gekrönte Kuppel wird von einem geschlossen wirkenden Säulenkranz getragen, der in seiner konstruktiven Festigkeit maßgeblich für den statischen Charakter des Bauwerkes verantwortlich ist.

Während Frankreich mit seinem Klassizismus dem römischen Vorbild folgt, wie das etwa die korinthischen Kapitelle der Panthéon-Säulen zeigen, neigen England, Deutschland und Skandinavien eher zur griechischen Antike. Zwar ist die Glyptothek in München im Innern rö- **216**

misch gewölbt, aber die Säulenordnung ist ionisch. Klenzes Museums-
gebäude, eigens zur Aufnahme einer Antiken-Sammlung bestimmt, besteht aus einem tempelartigen Mittelteil, der von zwei niedrigen,
schlichten Flügeln flankiert wird. Die glatte Wandfläche wird lediglich
durch die mit Dreieckgiebeln überdeckten Skulpturennischen gliede-
dert.

Im Gegensatz zu derartigen öffentlichen Repräsentationsbauten, die
selten frei sind von falschem Pathos, sind die Privathäuser des Klassizismus, die Villen oder die bürgerlichen Wohnhäuser in der Stadt, oft
von einer erfrischenden Einfachheit. Hier kann der Bauherr in Zusam-
menarbeit mit dem Architekten seine ganz persönliche Vorstellung von
dem neuen klassischen Zeitstil verwirklichen. Bei Peter Josef Krahes
217 «Hollandscher Villa» erhält der betont schlichte flächige Baukörper
durch die regelmäßige Fensterreihe ein vornehm-nobles Gepräge, der
giebelüberdeckte Mittelbau empfängt den Besucher durch ein von zwei
ionischen Säulen flankiertes Portal. Darüber, an einen Tempelarchitrav
erinnernd, ein Relieffries, der zusammen mit dem gemalten Ornament
den einzigen Bauschmuck darstellt. Weniger also durch aufwendige
antikisierende Bauformen als durch ausgewogene, harmonische Proportionierung offenbart sich hier, am Haus «Salve Hospes», der Geist
des Klassizismus, und zwar von seiner besten Seite.

217 Die Holland'sche Villa, 1805, heute «Salve Hospes» genannt, in Braunschweig. Von Peter Joseph Krahe (1758–1840).

218 Panthéon in Paris (Ehrentempel seit 1791), ursprünglich
Ste. Geneviève. 1764–1780 von Germain Soufflot (1713–1780).

Plastik

Die Rückbesinnung auf die Antike erweckt im Klassizismus verständ-
licherweise auch das Interesse für die klassische Skulpturkunst. Der
bildungsbeflissene Italienfahrer füllt seine Skizzenbücher mit Zeich-
nungen antiker Statuen, und der Kunstliebhaber erbaut sich zu Hause
in Ermangelung von Originalen an hervorragenden Gipsabgüssen. Die
Begeisterung für derartige Kopien ist charakteristisch für diese Zeit, der
es weniger auf eine Belebung des antiken Geistes als auf eine Nach-

43

219 Gottfried Schadow
(1764–1850), Prinzessin
Luise von Preußen und ihre
Schwester Friederike.
1794/97. Replik in Hannover.

ahmung der klassischen Formen ankommt. Den Sinngehalt der antiken
Statuen völlig mißverstehend – für die Griechen war die sichtbare
Schönheit ein Beweis für die Existenz der Götter – wollen ihre Bild-
werke vor allem einen ästhetischen Genuß bereiten durch ausgewogene Proportionierung, durch gefällige Glätte und durch eine edle Harmonie der Bewegung.

44

Thorvaldsens «Ganymed» ist eine idealschöne, virtuos modellierte 220 und geglättete Jünglingsgestalt – ein in der antiken Mythologie unbewanderter Betrachter wird sich einfach an der harmonischen, fast reliefartigen Figurengruppe erfreuen. Aber der Künstler fordert mehr vom Betrachter, nämlich ein Verstehen der Bildungssprache, Kenntnis also der mythologischen Zusammenhänge. Denn nur wer weiß, daß der griechische Göttervater Zeus den jungen und schönen Ganymed in Adlergestalt entführte, dem erschließt sich die vom Künstler beabsichtigte Aussage: Zähmung ungezügelter Leidenschaft im Anblick reiner Schönheit. Eine solche Kunst zeichnet sich also nicht nur durch gestalterische Qualitäten aus, sondern erhält ihren Wert erst durch die Bewältigung des literarischen Programms. Den Stoff für derartige Programme schöpft man aus der Fülle seines Bildungsreichtums und nicht mehr aus der Wirklichkeit des Lebens. Elementare Leidenschaften ha-

220 **Berthel Thorvaldsen**
(1768–1844), Ganymed. 1817.
Kopenhagen, Thorvaldsen-Museum.

ben in solchen Kunstwerken ebensowenig Platz wie die Realität des Lebens, die ja gewöhnlich weniger edel und schön, als erschreckend und abstoßend sein kann.

Aus der Reihe dieser Bildungsidealisten bricht die kraftvolle Originalität des Berliner Bildhauers Gottfried Schadow, der mit der gleichen Ungeschminktheit, mit der er privat seine persönliche Meinung auszusprechen pflegt, auch die offizielle klassizistische Kunstpflege angreift: «Es gibt kein Abstraktum und soll keines geben, weder in der Natur noch in der Kunst. Es gibt keine schöne, ideale Menschheit, sondern vorzüglich schöne Menschen.» So schafft er neben rein klassizistischen Werken, wie dem Grabmal des kindlichen Grafen von der Mark, ganz individualistisch aufgefaßte Porträtplastiken, wie z. B. die Gruppe der Prinzessinnen Luise und Friederike. Klassizistisch und leicht idealisiert **219** sind bei den Mädchen nur die Gewänder – ihre ungezwungene, liebevolle Umarmung hat Schadow rein menschlich gesehen. Sie vereint sie zu einem lebensnahen Schwesternpaar: vertraut, aber nicht sonderlich aneinander interessiert. Jede hängt ihren eigenen Gedanken und Neigungen nach, unzertrennlich durch die Macht der familiären Gewohnheit, aber jede eine Persönlichkeit für sich – Luise bereits die künftige Last ihres königlichen Amtes erahnend, Friederike sorgloser, privater und kindlicher. Schadow steht zu seiner Zeit noch im Schatten des Glanzes, den Canova und Thorvaldsen über ganz Europa verbreiten. Und doch gehören seine Skulpturen zu den Werken, die bei aller klassizistisch-edlen Harmonie bereits jenen Realismus zeigen, der für die Bildkunst der 2. Hälfte des 19. Jahrhunderts typisch ist.

Malerei

Ein einziges Bild hat der klassizistischen Malerei, man könnte sagen über Nacht, den Weg bereitet: Jacques-Louis Davids «Der Schwur der Horatier». Als es erstmals 1785 in Rom ausgestellt wird, war es «viele **215** Tage wie eine Prozession, Fürsten, Kardinäle und Prälaten, Monsignori und Pfaffen, Bürger und Arbeitsleute, alle eilten sie hin» (Tischbein). Uns erscheint dieses Bild heute etwas trocken und pathetisch, die damalige Zeit aber, an die verspielte Rokokomalerei gewöhnt, muß es wie eine Prophezeiung kommender Ereignisse empfunden haben. Schon vom Thema her ist dieses Bild für die Gesellschaft der Vorrevolution sensationell: David stellt eine Situation aus der Geschichte Roms dar, in der republikanische Bürger, ungeachtet ihrer weinenden

221 Jean-Auguste Dominique Ingres (1780–1867), Madame Rivière. 1805.
Paris, Louvre.

Frauen, als freie Menschen zu den Waffen greifen. Sie selber treffen
die Entscheidung, nicht mehr der König oder die Fürsten. Das Wohl der
Nation ist eine Angelegenheit des freien Bürgers geworden.

Auch von der künstlerischen Gestaltung her ist das Bild eine Kampf-
ansage gegen die Kunst des fürstlichen Rokoko: die duftigen, poeti-

222 Francisco de Goya (1746–1828), Comtesse del Carpio. Um 1792.
Paris, Louvre.

schen Farbtöne sind durch eine harte, klare Farbigkeit abgelöst. Das Licht ruft keine malerische Stimmung hervor, sondern dient zur Steigerung des heroischen Pathos. Die Gebärden der Männer sind entschlossen und bestimmt, der tändelnde und tänzelnde Rokokomensch ist von dem handelnden, dem Tatmenschen verdrängt worden. Der Sturm auf die Bastille hat sich hier fünf Jahre vorher künstlerisch vorbereitet.

Davids früher Klassizismus ist gemalte Ideologie, politisch engagierte Kunst. Nach der Revolution wird er der künstlerische Programmator des napoleonischen Kaiserreiches. Als Begründer des «Empire», des Reichsstils, bestimmt er nun diktatorisch die Mode ebenso wie die Architektur, indem er Stilelemente der römischen Antike zur Nachahmung empfiehlt.

Bei Ingres hingegen bedeutet Klassizismus eine frei von historisierenden Rückgriffen überzeitliche Gesinnungsäußerung, eine Suche

223 François Gérard (1770–1837),
Madame Récamier. 1802.
Paris, Musée Petit-Palais.

nach Klarheit und Ruhe innerhalb des gesamten Bildorganismus. Sein **221** Bildnis der Madame Rivière wird beherrscht von der ausgewogenen Komposition der horizontalen, vertikalen und schrägen Linien sowie von der emailhaft glatten Farbgebung, bewirkt durch wenige, gemäßigte Töne. Noch weniger folgt Goya den starren Regeln des Klassizismus. Die Vereinzelung des Menschen der Nachrevolution deutet er bei **222** der «Comtesse del Carpio» durch den monotonen, fast surrealen Bildraum an, vor dem die Figur in gestraffter, aufrechter Haltung die Unabhängigkeit ihrer Persönlichkeit als Mensch und Frau demonstriert.

224 **Louis Boilly (1761–1845),**
Ankunft der Postkutsche.
(Ausschnitt.)
1803. **Paris, Louvre.**

225 Tisch aus Paris von G. Jacob. Um 1800. Frankfurt/M., Museum für Kunsthandwerk.

Mode und Möbel

Um 1750 wird England mit seinem liberalen Parlamentarismus, seiner Naturromantik bis hin zur Gartengestaltung zum Vorbild freier, natürlicher Lebensformen, so daß sich der Mann auch in Frankreich «à l'anglais» zu kleiden beginnt; so kommt der Frack, eigentlich ein Reitrock, **224** in Europa in Mode. Es ist ein farbiger Tuchrock mit Kragen und Aufschlägen, der seit der französischen Revolution den Justaucorps aus Samt und Seide ganz verdrängt. Die Kniehose trägt man jetzt nicht mehr mit Strümpfen und Schnallenschuhen, sondern militäresk mit hohen Lederstiefeln, später kommt auch die lange Hose in Mode. Die Kravatte, zu der sich das Spitzenjabot vereinfacht, übernimmt man gleichfalls aus England, sie wird gestärkt oft weit über das Kinn hinaus getragen.

Die Dame bevorzugt im Sinne der neuen Ideen einer «geschmackvollen Simplizität» antikisierende freifallende Gewänder mit hochgerückter Taille und freien Schultern. Diese hauchdünnen Gewänder bestehen **223** aus leichten Musselinstoffen. Wer es sich figürlich leisten kann, trägt **224**

226 Salon im Empire-Stil (der Schreibtisch ist «Directoire»). Paris, Privats.

darunter ein engansitzendes hautfarbenes Trikot. Scheinbar achtlos zusammengesteckte Haare und bloße Füße sollen den Eindruck natürlicher Grazie unterstreichen.

Wie in der Architektur so ist auch in der Möbelkunst des Klassizismus der Wille zur strengen, vernünftig-natürlichen Form, bewirkt durch gerade Umrißlinien, klare Vertikale und Horizontale erkennbar. Wie bei den Sitzmöbeln die Polsterung farblich mit der Holzkonstruktion kontrastiert, um eine deutliche Funktionstrennung zu bewirken, so werden auch andere Möbel übersichtlich aufgebaut, wie etwa der frühklassizistische Tisch: Über einem geschweiften Dreiecksfuß erheben sich drei Säulen mit Basis und Kapitell, darauf architravähnlich die eine Marmorplatte tragende Zarge. Der ornamentale Schmuck dient nicht mehr, wie im Rokoko, der kunstvollen Formverschleierung, sondern der Verdeutlichung des Aufbaus. **226** **225**

Von pompejanischer Eleganz, die seit den Ausgrabungen von 1748 vor allem auf den englischen und französischen Klassizismus intensiv einwirkt, sind die Flachreliefs, die sich als wandgliedernde Dekoration auch im Innenraum finden. Im klassischen «Empire» werden derartige Ornamente auch in feuervergoldeten Bronzeapplikationen ausgeführt, wobei seit dem Ägyptenfeldzug Napoleons neben antiken Motiven, wie Mäandern, Wellenbändern, Blattornamenten und Perlstäben, auch ägyptische Motive wie Sphingen und Greife erscheinen. **226** **225** **227**

227 Bett in Kahnform
(frz. en bateau), Anfang 19. Jh.
Paris, Musée des Arts Décoratifs.

ROMANTIK

228 Caspar David Friedrich (1774–1840), Kreidefelsen auf Rügen. Um 1820.
Winterthur, Stiftung Oskar Reinhart.

Während der Klassizismus noch bestrebt war, die einzelnen Kunstgattungen klar zu trennen und bildende Kunst, Dichtkunst und Musik gegeneinander abzugrenzen, versucht die Romantik diese Trennung zu überwinden. Sie glaubt an das Gesamtkunstwerk. Romantische Musiker wollen mit Tönen malen und schaffen Programmusik, die Maler setzen es sich zum Ziel, mit Farben Seelenbekenntnisse zu dichten, und romantische Dichter musizieren mit Worten in ihren Versen. Die Klassizisten wollten die Welt überschaubar ordnen, die Romantiker zeigen Rätsel und Geheimnisse, die sich nicht lösen, sondern nur erfühlen lassen. Es versteht sich, daß in dieser von Sentiment und Emotion geprägten Kunstauffassung die Architektur unberücksichtigt bleibt, erfordert sie doch zumindest in technischer Hinsicht den Willen zur rationalen Form.

Dennoch gewinnt auch die Romantik ein Verhältnis zur Baukunst, denn sie entwickelt durch schwärmerische Rückbesinnung auf die eigene nationale Vergangenheit ein lebhaftes Interesse an den mittelalterlichen Baustilen, vor allem an der Gotik. So ist zu Beginn des 19. Jahrhunderts die Begeisterung für die Gotik ebenso verbreitet wie die Griechenlandschwärmerei zu Winckelmanns Zeiten. Selbst der große klassizistische Architekt Schinkel träumt von einem Nationaldom. Wir besitzen von seiner Hand zwei Entwürfe für die Werdersche Kirche **229** in Berlin, in denen er denselben Baukörper einmal gotisch und einmal antikisch umkleidet. Neben einer Reihe von geschmacklosen gotischen Nachempfindungen muß als positive Folge dieser Wiederentdeckung mittelalterlicher Ideale die werkgetreue Vollendung des Kölner Doms und des Ulmer Münsters angesehen werden.

Doch seine besten Leistungen vollbringt der Romantiker in der Malerei, in der er seinem subjektiven Welterleben am besten Ausdruck verleihen kann. Gott, Mensch, Kultur und Natur sieht er als eine einzige nur dem persönlichen Fühlen sich offenbarende Erlebniseinheit, als eine poetische Harmonie, in der Bewußtes, Widersprüchliches und Gegensätzliches sich durchdringen und aufheben. Diese subjektive Gefühlswirklichkeit entwickelt jenseits aller konfessionellen und gesellschaftlichen Regulative allein aus der schöpferischen Phantasie nicht minder subjektive Ausdrucksformen. Der Künstler selbst wird zum «Organ der Weltseele» erhoben (Schelling), zum autonomen Weltdeuter, und bis heute wird die Kunst vorwiegend als Selbstzeugnis verstanden. Die Kunst soll aus dem «inneren Kern» (Runge), aus der «Stimme des Inneren» (Friedrich), aus «dem Herzen aufsteigen und die Herzen entflammen», wie Delacroix sagt. Die Vergötterung des Ichs und der persönlichen Originalität gehört zu den charakteristischen Eigenarten des Romantikers. Da seine Weltsicht nicht auf die Gemeinschaft übertragbar, sondern an die Person des Schöpfers gebunden ist, isoliert er sich in dieser selbstgeschaffenen Vereinsamung bis zu Schwermut und Weltschmerz.

231   Runges Darstellung «Der Morgen» zeigt exemplarisch diese pantheistische Unendlichkeitssehnsucht. Es ist eine Symbolik des Werdens, das aus dem «Gelb» der Nacht über das verlangende Erwachen des Kindes, über Blumengeister und Genien, begleitet vom «Rot» irdischer Freude, zum «Blau mit Lilien-Weiß», Morgenstern und Strahlenrund als den Symbolen höchsten Lichtes aufsteigt. Damit erprobt Runge, was

229 Die Werder'sche Kirche in Berlin. Entwurf von Karl Friedrich Schinkel (1781–1841). Aquarell von Stock um 1840.

230 Franz Pforr (1788–1812), Einzug Kaiser Rudolfs von Habsburg in Basel im Jahre 1273. 1808. Frankfurt, Städelsches Kunstinstitut.

231 Philipp Otto Runge (1777–1810), Der Morgen. 1809. Hamburg, Kunsthalle

erst im 20. Jahrhundert Wirklichkeit wird: die absolute Farbe als freie geistige Schöpfung aus subjektivem Erleben.

Was hier noch in einer symbolbeladenen Szene verschlüsselt aus-gedrückt wird, kommt bei C. D. Friedrich unmittelbar zum Vortrag. Bei der vorliegenden Darstellung sind es drei Menschen, die, am Rande **228** eines steilen Abgrundes stehend, ihrer eigenen Endlichkeit angesichts der Unendlichkeit der Natur bewußt werden. Unter dem schroffen Zacken des Kreidefelsens eine am Boden kauernde Figur, ein einpräg-sames Symbol für die Hinfälligkeit des Menschen. Die beiden anderen Personen, in Rückenansicht gegeben, sind Stimmungsträger eines intensiven Naturerlebens.

232 William Turner (1775–1851), Letzte Fahrt der «Téméraire». 1838. London, Tate Gallery.

233 **Eugène Delacroix (1798–1863), Das sterbende Griechenland auf den Ruinen von Missolunghi. 1827. Bordeaux, Museum.**

Ist der Blick der Romantiker stets auf kosmische Zusammenhänge gerichtet, so unternimmt eine andere Gruppe von Künstlern den Versuch, durch Versenkung in ästhetische und geistige Probleme der Vergangenheit die deutsche Kunst zu erneuern. Franz Pforrs figurenreiches Historienbild ist nicht nur inhaltlich ein Rückgriff in die Geschichte, auch die naive Bildhaftigkeit und die Verwendung von kräftigen Lokalfarben geben seine Absicht zu erkennen, nämlich dem Malstil der mittelalterlichen Meister nachzueifern. Man hat diesen Künstlern den Spottnamen «Nazarener» gegeben, weil sie gewissermaßen aus der Froschperspektive des Naiv-Gläubigen bewundernd auf die Welt der Heiligen und der Helden sehen, aus der sie nicht nur Anregungen für ihre häufig sentimentalen Kunsterzeugnisse schöpfen, sondern die ihnen auch für ihre persönliche Lebenshaltung vorbildlich ist.

230

Die subjektive Weltsicht, die sich bei den deutschen Romantikern zu gefühlsinniger Naturmelancholie sublimiert oder in eine peinliche Schwärmerei für mittelalterliche Ideale mündet, führt in Frankreich zu einem leidenschaftlichen Pathos als Ausdruck tiefer, innerer Konflikte. Vor allem Delacroix entwickelt eine grenzenlose Farb- und Formphantasie, um den heroischen Kampf des Menschen mit den dunklen Kräften der Triebe und Leidenschaften zu verdeutlichen. Symbolgestalt fassungslosen Leides inmitten menschlicher Abgründe ist sein «Griechenland», nach dem «Massaker von Chios» (1824) das zweite Bild vom Freiheitskampf der Griechen gegen die Türken, der damals ganz Europa bewegt. Mit der machtvollen Intensität oft übergangslos reiner Farben, deren Leuchtkraft Delacroix als erster bewußt durch das Studium der Komplementärwirkung erhöht, versteht er es, das Bewegungspathos mit rein malerischen Mitteln zu steigern.

233

Noch stärker wird bei dem englischen Romantiker William Turner die Farbe zur Darstellung subjektiven Gefühlserlebens herangezogen. Seine magischen Farbsensationen dienen ihm zur letztmöglichen Steigerung der Stimmungslandschaft, die zu visionären Lichteffekten zusammenfließt, zu Sturmballungen, geisterhaften Nebelschwaden und Meeresaufruhr. Diese schließlich weithin gegenstandslose Farbmusik hat die Impressionisten stark beeindruckt, aber kaum angeregt; denn diese betrachten sich als Realisten, die nicht an den romantischen Visionen des Lichtes, sondern an den realen Lichteffekten in der Natur interessiert sind. Romantisch an Turners Bild ist schließlich auch das Motiv der Vergänglichkeit: Das einst ruhmvolle Schiff wird bei sinkender Sonne zum letzten Ankerplatz geschleppt.

232

234 Ferdinand Waldmüller (1793–1865), Die Familie Dr. Eltz. 1835. Wien,
Österreichische Galerie.

Was das Geld betrifft . . .

... so habe ich, was ich besitze, auf der Bank von Balducci und führe nur das zu Hause oder in der Tasche, was ich gerade so Tag für Tag benötige. Das schrieb er, von dem die Rede ist, an seinen Vater Ludovico, der ihn davor gewarnt hatte, Geld im Hause zu haben oder bei sich zu tragen.

Er reüssierte in vier künstlerischen Berufen. Als Dichter schrieb er Liebesgedichte, die nicht von ungefähr an Shakespeares Sonette erinnern. Allerdings: Er starb wenige Wochen vor Shakespeares Geburt. Eines seiner berühmtesten Werke auf anderem künstlerischem Gebiet brachte ihm ein Honorar von – in heutige Kaufkraft umgerechnet – knapp einer Viertelmillion Mark und Kummer: Auf Anordnung eines Papstes mußte ein anderer Künstler anstößige Stellen des Werkes korrigieren.

Sein Geld gab er zur Bank, legte es in Grundstücken an, lieh es gegen Zinsen aus und lebte weiter wie ein armer Handwerker. Als er starb, fand man in seiner Wohnung eine Kiste mit 8 000 Golddukaten, mehr als 300 000 Mark. Trotzdem hatte er stets über Geldmangel geklagt und war über jede fällige Zahlung zornig geworden.

Wer war's? (Numerische Lösung: 13–9–3–8–5–12–1–14–7–5–12–15).

Pfandbrief und Kommunalobligation

Meistgekaufte deutsche Wertpapiere - hoher Zinsertrag - bei allen Banken und Sparkassen

Verbriefte: 🖐 : Sicherheit

BIEDERMEIER

Die hohen Ideale der Romantik haben sich schnell verbraucht. Aus dem allumfassenden, weitgespannten Weltgefühl wird schon bald eine auf das Kleine und Intime gerichtete Gefühlsseligkeit, aus der großen Natursicht die beschauliche Idylle; aus dem Romantiker wird der «Biedermeier», der treuherzig, aber philiströs beschränkte, spießige Bürger. Die politische Situation nach 1815 hatte in Deutschland jede politische Aktivität lahmgelegt, die Menschen neigen zur Resignation und scheuen die Öffentlichkeit. Man entdeckt den Reiz häuslicher Behaglichkeit und versinkt hier in dem Traum von der «guten alten Zeit». Der Name «Biedermeier» ist ursprünglich ein Pseudonym, unter dem zwei Münchner Literaten satirische Gedichte auf diese kleinbürgerliche Gesellschaft veröffentlichen. Erst später wird die «Biedermeierzeit» zu einem festen kulturhistorischen Begriff für die Epoche zwischen 1815 und 1848, der Zeit also der «Restauration», in der Metternich durch die Errichtung eines neuen Obrigkeitsstaates den europäischen Frieden zu sichern gedenkt.

Spätestens die Märzrevolution von 1848 aber macht deutlich, daß das Bild vom treuherzigen Biedermeier doch nur ein entstellendes Klischee war, daß hinter der Fassade von Ruhe und Ordnung der politische und geistige Widerstand gegen den reaktionären Absolutismus weiterhin besteht. Doch was diese Revolution als starke politische Willensäußerung unmißverständlich zutage bringt, nämlich die Emanzipation des «dritten Standes», eines seit 1789 gereiften Bürgertums, hat sich in der bürgerlichen Kultur der Jahre zwischen 1815 und 1848 bereits angekündigt. Weniger in den Bereichen der Bild- und Baukunst als auf den Gebieten der Innenarchitektur und der Mode kommt es zu neuen, spezifisch bürgerlichen Ausdrucksformen, die erstmals eine klar erkennbare Alternative zu den bislang stilprägenden Formen der aristokratischen Kultur darstellen.

Wenn Menzel ein schlichtes Balkonzimmer in einer scheinbar absichtslosen Unaufgeräumtheit als darstellungswürdig erkennt und dieses Alltagsthema durch das breit einflutende Licht zu einer malerischen Sensation werden läßt, dann bedeutet dies nicht weniger als die Bestätigung des Eigenwertes dieses neuen bürgerlichen Lebensstils. **235**

234   Auch Waldmüllers Familienbildnis demonstriert das Selbstbewußtsein der bürgerlichen Gesellschaft. Fernab von jeder biedermeierlichen
Idylle oder spießbürgerlichen Enge stellt sich die Familie vor einer
höchst sachlich beschriebenen Landschaft dem Künstler. Den Farben
fehlt die schmeichelnde Wärme der Romantiker, aber auch die heroische Symbolkraft der Klassizisten. Doch gerade in dieser Kühle wirken
sie angenehm natürlich und frisch, befreit von allem hochfahrenden gedanklichen Ballast. Auch in der Gruppierung der Söhne zum Vater
und der Töchter zur Mutter sieht Waldmüller nur eine natürliche Ge-
gebenheit, nicht einen tieferen Sinn. Den einzelnen Familienmitglie-
dern, von der aufrechten Gestalt des Vaters bis hin zu dem kleinen
Baby, erlaubt er völlige Freiheit, sie brauchen keine Idee zu personi-
fizieren, sie sind jeder für sich eine selbständige Persönlichkeit.

Aus dem gleichen neuen bürgerlichen Geist hat sich auch die Mode
der Zeit entwickelt. Die schlichten langen Beinkleider und der weite
Leibrock geben den Herren ein ebenso solides wie ansprechendes
Äußeres. Ihre Kleidung bleibt bis auf Weste und Krawatte seither
schmucklos. Die Damenmode hingegen entwickelt durch einen fülligen
Aufwand an Faltenpartien, Volants, Bändern, Schleifen und künstlichen
Blumen eine anmutige Dekorativität. Zu Hause trägt man das Häub-
chen, auf der Straße die Schute mit breiter vorderer Krempe und kokett-
tem Kinnband. Anfang der zwanziger Jahre kehrt statt der hochgerück-
ten Taille des Empire die Wespentaille und mit ihr das Korsett wieder.
Um sie betont schmal erscheinen zu lassen, wird die Schulterlinie
verlängert, und zwar anfangs durch Puffärmel, dann durch die kunstvoll
234   durch Fischbeinstäbchen aufgebauschten Gigots (Hammelkeulen). Das
Dekolleté beginnt beim tiefherabgezogenen Ärmelansatz und wird
meist von einem kragenartigen Besatz gerahmt. Die glockenartigen
Röcke, die bei jungen Mädchen fußlange, spitzenbesetzte Beinkleider
sehen lassen, werden durch mehrere weiße Unterröcke aufgebauscht.

Die Möbel, die durch klare Konstruktivität ihre Herkunft vom Empire
verraten, vereinfachen sich zu häuslich-familiärer Schlichtheit und Be-
quemlichkeit im Sinne der neuen Bürgerkultur, die sich nach den langen Kriegsjahren ohnehin bescheiden muß. Bis etwa 1830 ist man vorwiegend auf einheimische Hölzer angewiesen (Kirsche, Birke), die dem
Mobiliar eine freundlich helle Leichtigkeit geben. Es ist die Zeit der
237   Kleinmöbel, der Nähtische, der Etageren oder der Blumentische, zumal die Zimmerpflanze zu einem freundlichen Kennzeichen bieder-
meierlicher Häuslichkeit wird. Wie in der Damenmode, so kehren auch
bei den Möbeln die Schweifungen und Rundungen wieder. Der Stuhl

235 Adolph Menzel (1815–1905), Das Balkonzimmer. 1845. Berlin-West, Nationalgalerie.

und der Sessel gewinnen dabei formal an Anmut, ohne an funktioneller Einfachheit einzubüßen. **235**

Die ausschwingende Linienführung geht insbesondere auf drei, zu solider Konstruktion abgewandelte klassizistische Motive zurück. Einmal ist es die Lyra-Form, die bereits Robert Adams in England (Adam- **237**

236 Bücherschrank, deutsch. Um 1830. Hamburg, Museum für Kunst und Gewerbe.

235 Style) aufgenommen hatte, ferner der Schwanenhals, der in abstrakter Form in den geschwungenen Beinen und Lehnen des Biedermeier-stuhls erscheint. Und schließlich ist es das Füllhorn, das bei dem Sofa

238 jeweils von einer Volute aus aufsteigt und die Schweifungen der Füße und Seitenlehnen bestimmt.

Der ornamentale Schmuck wird, verglichen mit dem Empire, nur noch sparsam ausgeführt. Das Dekor der Schauseite bestimmt jetzt vor allem die lebhafte Maserung des Furniers. Feuervergoldete Bronze-

236–237 beschläge erscheinen nur noch dort, wo es die Funktion erfordert, wie etwa die bescheidenen Verzierungen der Schlüssellöcher, um dort die polierten Hölzer zu schützen, oder die Halterungen für Zugringe bei

236 Schubladen und Türen. Der dekorativen Einfachheit verbunden mit

237 Tisch aus Wien. Um 1840. Wien, Österreichisches Museum für angewandte Kunst.

einem hohen Maß an Gebrauchsfähigkeit verdanken die Biedermeier-
möbel eine bis zum heutigen Tage anhaltende Wertschätzung, zumal
sie sich auf Grund ihrer kleinen Abmessungen und unaufdringlichen
Eleganz auch in einen modern möblierten Wohnraum konfliktlos einfügen.

**238 Sofa aus Lübeck. Um 1835.
Hamburg, Museum für Kunst und Gewerbe.**

239 François Millet (1814–1875), Ährenleserinnen. 1857. Paris, Louvre.

DER REALISMUS

Um die Mitte des 19. Jahrhunderts zeigt sich in der Malerei eine auf-
fällige Tendenz zum Realismus, deren Ursache in der veränderten politischen und gesellschaftlichen Situation zu suchen ist. Das beginnen-
de Industriezeitalter wirft die ersten sozialen Probleme auf, die schließlich in der Märzrevolution von 1848 ihren Ausdruck ebenso finden wie
in dem von Karl Marx veröffentlichten kommunistischen Manifest. Metternich und Louis Philippe, die wichtigsten Repräsentanten der «Restauration», müssen unter dem Druck der Öffentlichkeit nach England
fliehen. Während aber in Deutschland und Österreich die liberalen
Wortführer, von einigen konstitutionellen Zugeständnissen abgesehen,

den Obrigkeitsstaat nicht beseitigen können, werden in Frankreich Pressefreiheit, Versammlungsfreiheit und das allgemeine Wahlrecht eingeführt, Errungenschaften, die hier das öffentliche Leben vollständig verändern. So verliert der Idealismus des frühen 19. Jahrhunderts, der durch den Rückgriff auf die Vergangenheit neue Lebensmaßstäbe schaffen wollte, zusehends an stilbildender Kraft. Die Wirklichkeit der Gegenwart beginnt sich stattdessen als gestaltungswürdiges Thema Eingang in die Literatur und die bildende Kunst zu verschaffen.

In Frankreich ist es Millet, der erstmals den arbeitenden Menschen zum zentralen Thema seiner bildlichen Darstellungen erhebt. Die Titel seiner bekanntesten Werke (Ährenleserinnen, Baumpfropfer, Sämann, **239** Heubinder) lassen erkennen, daß er seine Bildinhalte vor allem aus dem ländlichen Leben gewinnt. Millet hat dieses Leben weder ideali-

240 Ferdinand Waldmüller (1793–1865), Die Große Praterlandschaft. 1849. Wien, Österreichische Galerie.

siert, noch hat er es im Sinne einer sozialen Anklage interpretiert. Er will es zeigen, wie es wirklich ist, mühsam, beschwerlich, aber dennoch erfüllend und beglückend. Entsprechend sachlich ist die Darstellungsweise: Eine lichte, unpathetische Landschaft, in der nur die Strohhaufen

Akzente setzen, umschließt die drei Frauen, die ein Kritiker spöttisch die «Parzen der Armut» nennt. Der hochgezogene Horizont bindet sie fest an die Erde, der sie somit formal und gedanklich verhaftet sind.

Die Welt der Arbeit zeigt auch Menzel mit seinem «Eisenwalzwerk». Diese **241** Szene hat ihn vor allem als Maler interessiert. Er setzt das weißglühende Eisen als einzige Lichtquelle in den Mittelpunkt des Bildes und breitet von da aus einen hellen Feuerschein über das unübersichtliche Gewirr von Menschen und Maschinen. Der malerische Hell-Dunkel-Kontrast dient aber nicht zur Idealisierung des technischen Vorgangs, sondern er vermag sehr wohl die schmutzig-ungesunde Atmosphäre einer Fabrikhalle und die Schwere der Arbeit hervorzuheben.

Ohne Sentimentalität oder als Ausdruck einer romantischen Zivilisationsmüdigkeit beschreibt Wilhelm Leibl die Welt der einfachen Bauern, in der er einen großen Teil seines Lebens verbringt. Diesem bäuerlichen Milieu gehört seine Liebe als Künstler und Mensch. Er hat es immer wieder mit faszinierendem Realismus gemalt. Jeder **242** Holzfaser, jeder Ader, jedem Faden eines Stoffes gilt sein Interesse. Aber er bleibt nicht am Äußerlichen hängen, sondern es gelingt ihm gerade mit dieser besonderen Technik, in das innere Wesen der Menschen einzudringen.

Bei Waldmüller geht es um einen nicht minder abbildhaften Wirklichkeitsausschnitt. Das Auge beobachtet genau, wie das grelle Sommerlicht in aller Brillanz

241 Adolph Menzel (1815–1905), Das Eisenwalzwerk. 1875. Berlin-Ost, Staatl. Museen.

242 Wilhelm Leibl (1844–1900), Drei Frauen in der Kirche. 1881.
Hamburg, Kunsthalle.

243 Camille Corot (1796–1875), Erinnerung an Mortefontaine. 1864.
Paris, Louvre.

über die Laubmassen herabrieselt, in Schattenschluchten vergeht und 240 sich von den Gipfeln über die Stämme bis zum Gras in seiner ganzen Fülle an Tonabstufungen ergießt.

Während Waldmüller mit seinen fast photographisch genauen Reallandschaften die formklärende Wirkung des Naturlichtes beschreibt, versucht Corot die formzersetzende Wirkung des atmosphärischen Lichtes bildlich festzuhalten, wobei er durch genaue Naturbeobachtun- 243 gen zu höchst sensiblen Ausdrucksformen gelangt. Licht als Schimmer und Luft als Schleier machen aus Laubkronen wolkenhafte Gebilde, legen sich silbrig über das Wasser und gleiten als alles verbindende Mächte auch über die menschlichen Figuren. Mit dieser Sehensweise hat Corot einen Weg eingeschlagen, dem wenig später die Impressionisten folgen werden.

DER IMPRESSIONISMUS

244 Claude Monet (1840–1926), Die Hütte des Douaniers bei Varengeville. 1882. Rotterdam, Museum Boymans-van Beuningen.

Jeder Versuch, das Wesen des Impressionismus zu definieren, muß scheitern, weil dieser Stilrichtung alles Theoretische und Doktrinäre abgeht, aufgrund dessen man sie begrifflich erfassen könnte. Kaum eine Epoche der europäischen Malerei ist so frei von gedanklichem Ballast wie der Impressionismus, selten hat es Künstler gegeben, die dem rein Malerischen in ihrer Kunst eine derart bedeutende Vorrangstellung gegenüber dem Konstruktiven und Definierbaren einräumten wie die Impressionisten. Die immer noch brauchbarste und überzeugendste Erklärung gibt Claude Monet, der vielleicht typischste der Impressionisten: «Ich habe schon immer Theorien verabscheut,» so schreibt er kurz vor seinem Tod im Jahre 1926. «Mein Verdienst war lediglich, daß ich direkt nach der Natur gemalt habe, indem ich danach strebte, meine Impression der flüchtigen Effekte wiederzugeben.»

Vielleicht ist dies das einzige, was überhaupt die Impressionisten miteinander verbindet: ihr unmittelbares Verhältnis zur Wirklichkeit, zur Natur. Sonst gibt es in ihrer Kunst kaum etwas Verbindendes im Sinne schulmäßiger Stilmerkmale. Selbst die persönlichen Verbindungen sind keineswegs so fest, daß man die Impressionisten als geschlossene Gruppe betrachten könnte. Immer wieder kommt es zu Rivalitäten, Feindseligkeiten und Meinungsverschiedenheiten, die ihre Ursachen nicht nur in den unterschiedlichen Charakteren, sondern auch in den stark voneinander abweichenden künstlerischen Vorstellungen haben. So gelingt es den Impressionisten auch nur, insgesamt acht Gemeinschaftsausstellungen zu veranstalten, wobei einzig Pissarro an allen acht Ausstellungen teilnimmt.

Die erste Ausstellung findet 1874 in den Räumen eines Fotografen statt, nachdem der offizielle Pariser Salon die Bilder der bis dahin unbekannten Künstler zurückgewiesen hatte. Die Ausstellung wird zu einem öffentlichen Skandal, wobei diese Empörung von anerkannten Kunstkritikern in vollem Maße geteilt wird. Ein als fortschrittlich bekannter Journalist bezeichnet in einem satirischen Artikel die Ausstellenden als «Impressionisten», ein Begriff, den er von einem Bild Monets mit dem Titel «Impression, soleil levant» ableitet. Spöttisch äußert sich der Kritiker: «Der für dieses Gemälde verantwortliche Farbklecker muß wohl ein Impressionist sein, denn er gibt uns lediglich seine Impressionen wieder.» So hat die Öffentlichkeit einen Namen für die neue Kunstrichtung, der, zunächst ironisch gemeint, später von den Künstlern selber als «nom de guerre» übernommen wird. Später geben die Aussteller die Ziele ihrer Malerei bekannt: «Einen Gegenstand um seiner Töne und nicht um seiner selbst willen abbilden zu wollen, unterscheidet die Impressionisten von anderen Malern.»

Der Gegenstand als solcher bedeutet dem Impressionisten also nichts mehr, sondern seine momentane Erscheinung, wie er sich unter bestimmten Voraussetzungen dem Auge des Künstlers darbietet. Ihn interessiert das Spiel des Lichtes, das den Gegenstand oder die Landschaft zu jeder Tageszeit verändert, der Wechsel von Licht und Schatten, der Reiz einer flüchtigen Bewegung, die Stimmung eines Sommernachmittags, das irisierende Glänzen einer Wasserfläche, das gespenstische Treiben des Morgennebels. Während die brave Akademiemalerei darum bemüht ist, die Umwelt mit photographischer Objektivität wiederzugeben, stellen es sich die Impressionisten zur Aufgabe, lediglich die «Augenblicklichkeit» (Monet) einer Situation darzustellen.

Aber nicht nur dieses Verhältnis des Künstlers zu seinem Objekt ist neu, die Verwendung reiner Farbe gehört zu den wichtigsten Eigenheiten des Impressionismus. Schatten und Lichtreflexe werden ungetrübt wiedergegeben, selbst das Licht ist nicht nur hell, sondern hat auch individuelle Farbwerte. So nimmt bei Monets Küstenlandschaft das Licht dem Wiesenhang seine natürliche Farbigkeit und verwandelt ihn in eine Fläche flimmernder, goldgelber Töne. Selbst das Blau des Wassers verliert unter dem strahlenden Licht an Intensität, und das Rot des Ziegeldaches nimmt die gelben Töne der Umgebung an. In diesem Wirbel von Farbe und Licht schwindet die klare, nachverfolgbare Linie. Die Farben, auf der Palette lose miteinander vermischt, werden in schnellen, nervösen Strichen aufgetragen. Bei seiner Boulevard-Szene verweilt Pissarro nicht mehr im Detail, sondern erfaßt die darzustellenden Formen in vagen, aber sicheren Umrissen, wie es eben den schnell wechselnden Bewegungsmomenten des Lichtes entspricht.

244

250

245 Edouard Manet (1832–1883), Bar in den Folies-Bergère. 1882.
London, Courtauld-Institute.

Auch beim nahe betrachteten Bild des Menschen werden scharfe
Begrenzungen vermieden, um, wie bei Renoirs Logenbild, die Figur in **247**
engem Zusammenhang mit ihrer augenblicklichen Umgebung wieder-
zugeben; dieses Mädchen ist gewissermaßen das Echo dieser licht-
erglänzenden Umwelt, kein objektives, in fester Körperlichkeit dem
Vergänglichen enthobenes Porträt. Damit wird auch der Mensch zur
«Impression», zum flüchtigen, sich wandelnden Erscheinungsbild.
Diese rein malerischen Momentaufnahmen lassen nun auch keine
Zeit mehr zur altmeisterlichen Schichtenmalerei. Die Bildoberfläche hat
nicht mehr, wie bei den Werken der Klassiker, eine emailartige Glätte,

sondern weist eine lebendige Struktur auf. Die Farbe wird nicht gleichmäßig verteilt, sondern bleibt, wie sie von der Palette kommt, auf der Leinwand oft unverstrichen stehen und bildet dort scharfe Grate und klumpige Anhäufungen.

Auch der Bildraum verliert bei den Impressionisten erstmals an Tiefenwirkung. Wo das Nahe und das Ferne nach Licht und Farbwirkung geordnet wird, nähert sich auch der Bildraum der Fläche. Bei Sisleys «Überschwemmung mit Boot» gibt zwar das in Schrägsicht gezeigte

246 Edouard Manet (1832–1883), Vase mit Pfingstrosen. 1864/65. Paris, Louvre.

247 Auguste Renoir (1841–1919), Mädchen in der Theaterloge. Um 1880. London, Tate Gallery.

Haus eine Tiefendefinition, sonst aber ergänzen sich die Farben Gelb, Blau und Weiß zu einem raumlosen Organismus, in dem die Formen lediglich raumbestimmende Funktionen besitzen. Bei Edouard Manets «Bar in den Folies-Bergère» kommt es sogar zu einer regelrechten **245**

Raumverzerrung. Dem Barmädchen steht der Beschauer frontal gegenüber, in der Spiegelung aber erscheint die Rückenfigur derartig aus der Mittelachse verschoben, als stände der Betrachter an der linken Bildseite.

Aber Manet ordnet seine Bildelemente schon nicht mehr nach den herkömmlichen Gesetzen der Linearperspektive, sondern er unterstellt sie seinem persönlichen, künstlerischen Ordnungswillen. Selbst seine Figuren scheinen oft der Wirklichkeit entfremdet. Bei der vorliegenden Darstellung distanziert er die reale Welt des Beschauers von der Wirklichkeit des Bildes durch den Marmortresen, um hier fast stillebenartig eine Wunderwelt an Farben und Formen aufzubauen. Das Mädchen in strenger Dreieckskomposition beherrscht als feste Form die Szenerie. Dieser auch durch das dunkle Mieder betonten Statik der Figur wird die Dynamik der Dinge entgegengesetzt: im Vordergrund verschiedenartige Flaschen, Blumen, Gläser und Früchte in greifbarer Realität, im

249 Edgar Degas (1834–1917), Tänzerinnen. Um 1877. London, Courtauld-Institute.

◀

248 Alfred Sisley (1839–1899), Überschwemmung mit Boot. 1876.
Paris, Louvre.

Hintergund verwandelt sich diese Wirklichkeit in der Spiegelung in ein Kaleidoskop rein impressionistisch gegebener Form- und Farbwerte.

Manet ist es denn auch, der der Stillebenmalerei neue Impulse verschafft. In dieser Gattung kann er, besser als in figürlichen Szenen, seine persönlichen kompositorischen Vorstellungen verwirklichen. Bei der «Vase mit Pfingstrosen» faßt er die Naturformen mit der Farbe summarisch zusammen, gleichzeitig aber stellt er Rot und Grün derart unvermittelt gegeneinander, daß sie sich gegenseitig in ihrer Leuchtkraft steigern. Zur Festigung der Komposition dient ihm eine Kreuzform, die die rote Blume mit der auf dem Tisch liegenden Blüte sowie die zwei Blütenpaare links und rechts in der Horizontalen miteinander verbindet. An dieser höchst überlegten und geradezu klassischen Komposition wird offenbar, daß Manet keineswegs auf die reine Intuition als Künstler vertraut, wie das etwa bei Renoir und Monet der Fall ist. Im Grunde seines Herzens ist er eine konservative Natur, die zeitlebens

250 Camille Pissarro (1830–1903), Boulevard. 1897. Washington, National Gallery of Art.

um die Anerkennung gerade jener Kreise gekämpft hat, die den Impressionisten mit Ablehnung und bitterem Spott begegnen. Die Anerkennung aber, die ihm von Seiten der jungen Impressionisten zuteil wird, ist ihm eher peinlich, weil er sich dadurch in aller Öffentlichkeit kompromittiert fühlt. Sein Mißfallen über diese unfreiwillige Ehrung bringt er dadurch zum Ausdruck, daß er es ablehnt, mit den Impressionisten zusammen auszustellen. Ja, er weigert sich sogar, Renoir persönlich kennenzulernen, dessen Bilder er ebenso wie die Cézannes für ungekonnt und schlecht hält. Manet steht genau zwischen Tradition und Revolution.

Der Fall Manet ist charakteristisch für den ganzen Impressionismus. Fast alle Vertreter suchen den Kontakt mit der klassischen Bildkunst, um sich gewissermaßen abzusichern. Der späte Renoir kehrt wieder zur festen, klaren Form zurück, Pissarro empfiehlt immer wieder das Studium alter Meister, und Degas bekennt offen: «Mein Werk ist das Ergebnis unaufhörlichen Nachdenkens und des Studiums großer Meister – von Spontaneität, Inspiration und Temperament weiß ich nichts». Wenn er immer wieder seine zauberhaften Ballettmädchen malt, dann **249** weiß er, daß die scheinbar natürliche Anmut ihrer Bewegungen in Wahrheit das Resultat einer unsagbar harten und systematischen Arbeit ist, die Degas auch für die Malkunst fordert. Das Impressionistische zeigt sich bei seinen Bildern daher nur an dem momentanen, fast zufälligen Bildausschnitt. Bei dem vorliegenden Bild drängt er die beiden Figuren in die rechte obere Ecke und gewinnt somit eine leere Fläche in der unteren Bildhälfte. Durch diese Gegenüberstellung von leerem und gefülltem Raum erzielt er kompositionell jene Bewegungsdynamik, die die Körperbewegung der Mädchen unterstreicht und verstärkt.

Einzig Monet geht den einmal eingeschlagenen Weg der malerischen Formzersetzung durch Licht und Farbe beharrlich weiter. Er malt nicht selten, um mit dem wechselnden Licht auch den wechselnden Eindruck seines Motivs festzuhalten, an mehreren Staffeleien gleichzeitig, malt ganze Serien vom Bahnhof Saint-Lazare, vom Portal der Kathedrale von Rouen, jedesmal zu einer anderen Tages- oder Jahreszeit, und jedesmal wird es ein völlig neues Bild. Schließlich malt er nur noch einen einfachen Heuhaufen unter verschiedenen Licht- und Wetterbedingungen. Weil er das Gegenständliche so sichtbar «diskreditiert» findet, erwägt Kandinsky anläßlich einer Ausstellung dieser «Heuhaufen» in Moskau (1895) die Möglichkeit der abstrakten Malerei, da hier vom Naturbild ohnehin nur andeutende Zeichen bleiben.

251 Vincent van Gogh (1853–1890), Straße mit Zypressen. 1890.
Otterlo, Kröller-Müller-Museum.

WEGBEREITER DER MODERNE

Stilistisch steht der Impressionismus auf der Schwelle zwischen Tradition und Revolution. Die Vertreter dieser Stilrichtung haben sich selber immer als Realisten bezeichnet – sie wollten nichts anderes, als «die besonderen Aspekte der Natur und der Wirklichkeit» bildlich festhalten, wobei sie die traditionellen Gesetze der klassischen Malerei hinsichtlich Form- und Farbgebung weitgehend respektierten. Das Revolutionäre der impressionistischen Bildkunst ist in dem völligen Verzicht auf einen literarischen, historischen oder ideologischen Bildinhalt zu sehen. Indem die Impressionisten der traditionellen Forderung nach einer zeitlos gültigen Darstellungsform die Vision eines Augenblickszustandes entgegensetzten, haben sie die Malerei von den letzten Schlacken gedanklichen Ballastes befreit, gleichzeitig sind sie damit aber auch in den gefährlichen Bereich einer geistig verflachten Dekorationsmalerei vorgestoßen, in der ein virtuoses Farbspiel zum künstlerischen Selbstzweck wird.

Die gesamte Malerei des Nachimpressionismus ist nun von dem Willen gekennzeichnet, dieser sich deutlich abzeichnenden Regellosigkeit eine feste, aber nur rein künstlerischen Gesetzen folgende Form entgegenzustellen. So wollen die Pointillisten, auch als Neoimpressionisten bezeichnet, statt des «Flüchtigen das Beständige», wie Signac sagt, ein «überlegeneres Schaffen als die Kopie der Natur, die der Zufall bietet».

Der strengste dieser «Konstrukteure» ist Georges Seurat. Er bemüht sich, von dem Klassiker Poussin angeregt, um eine feste geometrische Flächenordnung und entschließt sich nach dem Studium der neuen wissenschaftlichen Farbenlehren auch hinsichtlich der Farbigkeit für einen systematischen Bildaufbau, indem er in geduldiger Atelierarbeit die reinen Spektralfarben als kleine Punkte aneinandersetzt und die Farbmischung dem Auge des Beschauers überläßt. In dieser optischen Vermischung der Farbe anstelle der physikalischen sieht Seurat einen natürlichen Vorgang, denn auch in der Natur gäbe es nur reine Farben, die sich erst auf der Netzhaut des menschlichen Auges vermischen.

Auch Cézanne sucht nach Wegen, «aus dem Impressionismus etwas Festes und Dauerhaftes zu machen». Er, der sich immer als treuer Die-

252

252 Georges Seurat (1859–1891), Seine. Paris, Privatbesitz.

ner der Natur bezeichnet hat, forscht in dieser Natur nach festen Strukturen, deren Existenz er in den geologischen Schichten seiner pro-
vençalischen Heimat erkennt. So kommt er zu seinen «Konstruktionen
253 nach der Natur», in denen er linear und farbig die Naturformen ordnet,
und zwar in sorgfältig nach Tonwerten «modulierten» Farbflächen. Mit

dieser «Modulierung» findet er die vor ihm unbekannte oder zumindest nicht beachtete Möglichkeit, Körper und Raum auf neue Weise darzustellen. Cézanne baut sie aus Farbflächen auf, die er als aneinandergesetzte Farbfolgen je nach Eindruck «gemäß» der Kugel-, Kegel- oder Zylinderform wiedergibt. In dieser Form der Abstraktion sieht er keineswegs eine Abkehr von der Wirklichkeitsdarstellung, sondern vielmehr eine künstlerische «Harmonie parallel zur Natur». Erst seine

253 Paul Cézanne (1839–1906), Arc-Tal. 1887. Nantes, Privatbesitz.

Nachfolger unternehmen diesen folgenschweren Schritt von der naturnahen Zeichensprache zur reinen Kunstsprache. Sie alle bauen auf den Vorarbeiten Cézannes auf.

Sehr viel energischer löst sich Paul Gauguin von der rein abbildhaften Naturdarstellung. «Der Maler», so sagt er, «darf nicht die Natur nachahmen, sondern er muß die Elemente der Natur nehmen und daraus ein neues Element schaffen.» In der Volkskunst der Primitivvölker und in der archaischen Kunst der Ägypter und Griechen sieht er eine Alternative zur traditionellen, der Natur dienenden Bildkunst Europas. Die Wirklichkeit soll seiner Meinung nach nicht mehr «reproduziert», sondern in farbigen Gleichnissen «repräsentiert» werden. Was er darunter versteht, zeigt die vorliegende Darstellung: Auf einer leuchtend roten Farbfläche, vergleichbar dem mittelalterlichen symbolischen Goldgrund, kämpft Jakob mit dem Engel. Aus dem traditionellen Naturlicht ist das reine Farblicht geworden. Die Einzelformen sind durch feste Linien flächenhaft gegeneinander abgegrenzt, die Raumillusion ist damit ebenso überwunden wie die plastische Modellierung durch Licht und Schatten. Für diese Darstellungsweise prägt Gauguin selber den Begriff des «Synthetismus», weil Farbe, Form und Bildraum rein «synthetischen», also künstlich-künstlerischen Gesetzen unterworfen werden sollen. Form: radikale Vereinfachung der Naturformen zu unplastischen Flächen; Farbe: kraftvolle, leuchtende Töne, flach und schattenlos aufgetragen, konsequente Trennung der Formen durch harte Farbkontraste und scharfe Konturen; Bildraum: Verzicht auf illusionistische Tiefe. Ein Kritiker schreibt damals: «Auf den ersten Blick machen diese Bilder den Eindruck einer dekorativen Malerei: scharfe Umrißlinien und lebhafte Farbigkeit gemahnen an Volkskunst und übergeordnete Wahrheit des Empfindens, die sich von jeder romantischen Leidenschaft freimacht;

254 Paul Gauguin (1848–1903), Vision nach der Predigt. 1888. Edinburgh, Nat. Gall.

aber vor allem ist es die absichtliche, begründete, intellektuelle und systematische Konstruktion, die uns zur Analyse auffordert.»

Dieser Wille zur elementaren Flächenordnung kennzeichnet auch das Werk Toulouse-Lautrecs, allerdings wandelt sich bei ihm thematisch der fast mystische Ernst Gauguins in eine geradezu burleske Hei-

256

terkeit. Mit poesievollen Umrißlinien, oft bis zur Arabeske vereinfacht, beschreibt er auf dem vorliegenden Bild Figuren und Bewegungen, ohne daß dadurch die Festigkeit der Komposition leidet. Auch hier finden sich wieder die schattenlosen Silhouetten. In planvoller Kon-

struktion steigen vielfältig abgewandelte Grünflächen mit Rot
und kaltem Blau, von wechselnd
strengen oder rhythmisch schwingenden Linien getragen, zum
oberen Bildrand auf. Diese fast
ornamentale Flächen-, Farb- und
Linienordnung wird ein wichtiges
Stilmerkmal des Jugendstils, das
mit einer abstrahiert pflanzlichen
Lineatur oder dekorativen Gebil-
den freier Erfindung Möbel und
Kunstgewerbe beherrscht.

Bei Hodler wird diese neue
Formerfahrung in den Dienst
einer wieder mehr naturnahen
Wirklichkeitsbeschreibung gestellt. Sein Genfer-See-Bild baut **255**
er aus vier Horizontalzonen, der
Wiese, dem See, der Gebirgs-
kette und dem Himmel mit den
beiden Wolkenreihen. Jeder Zone
verleiht er nicht nur durch scharfe
Linienbegrenzung ein hohes Maß
an Selbständigkeit, sondern auch
durch unterschiedliche Farbgebung. Die Erscheinungsformen der
Natur fügen sich zwanglos dem
künstlerischen Ordnungswillen.

Die Autonomie der Farbe, die
bei Lautrec und bei den späteren
Malern des Jugendstils zu einer
expressiven Dekorativität führt,
ermöglicht es Gauguin, dann aber
vor allem van Gogh, geistig-see-
lische Zusammenhänge bildlich
zu verdeutlichen. Er unternimmt
denn auch das Wagnis, um der
symbolischen Ausdruckskraft willen Form und Farbe zu übertrei-

255 Ferdinand Hodler (1853–1918),
Genfer See von Chexbres aus. 1905.
Basel, Kunstmuseum.

ben. «Ich habe versucht», so schreibt er, «mit Rot und Grün schreckliche menschliche Leidenschaften auszudrücken — wenn man die genaue Farbe und die genaue Zeichnung gäbe, so würde man diese Emotion nicht wiedergeben können.» Auf diese Weise findet er seine unverwechselbare Bildsprache für das eigentliche Wesen der Dinge, das sich ihm «in der ganzen Natur, z. B. in den Bäumen» offenbart, nämlich als «Ausdruck, sogar Seele» und als «Kampf des Lebens». So

251 wird in seinem Straßenbild das Kornfeld zum flammenden Wachsen, eine aufwärtszüngelnde Pinselschrift ergreift Weg und Zypressen, und der Himmel, der unbekümmert um jede Naturwahrscheinlichkeit ein großes Doppelgestirn zeigt, symbolisiert das machtvolle kosmische Kreisen. Alles ist auch in dieser Komposition aus ebenso intuitiv wie planvoll rhythmisierten Farbflächen und schwingenden Linien auf die schattenlose, nur knapp modellierte Silhouette vereinfacht.

So sind denn um die Jahrhundertwende die Wege der künftigen Malerei im wesentlichen vorgezeichnet. Mit dem Impressionismus hat die realistische Bildkunst, die seit der Renaissance in den vielfältigsten Ausdrucksformen die abendländische Malerei bestimmt hat, ihren glanzvollen Abschluß gefunden. Von Cézannes überlegten flächenhaften Bildkonstruktionen, die er noch als «Harmonie parallel zur Natur» bezeichnet, führt die Entwicklung unmittelbar zum Kubismus. Gauguin postuliert mit seiner synthetischen Farborchestrierung die Autonomie der Farbe und bereitet damit sowohl den Fauves wie auch den Expressionisten den Weg. Van Gogh erschließt der Malerei durch seine Farb- und Liniendynamik neue Möglichkeiten der Ausdruckssteigerung, derer sich später der Expressionismus zur bildlichen Verdeutlichung geistiger und seelischer Konflikte einer veränderten Gesellschaft bedienen wird.

Auch auf dem Gebiet der Architektur zeigt sich im ausgehenden 19. Jh. der Wille zum Neubeginn, nach einer fast hundert Jahre währenden Epoche peinlicher Nachahmungen und historisierender Stilverirrungen. Das anbrechende Industriezeitalter gibt dem Architekten neue Baumaterialien in die Hand: Stahl, Beton und die Verbindung von beiden, den Stahlbeton. Die Industrie ihrerseits fordert dafür von den Architekten einen ihr gemäßen Baustil, der mit dazu beitragen soll, die Vorurteile der Gesellschaft gegenüber der unaufhaltsam fortschreitenden Technisierung aller Lebensbereiche abzubauen. So sind es zunächst die Ingenieure, die sich die neuen Materialien nutzbar machen, während die Baumeister noch an ihren alten Vorstellungen hängen.

An den Ingenieurbauten zeigt sich zuerst der neue Geist. Es entstehen Brücken aus kühnen Stahlkonstruktionen, große Gebäude aus

256 Henri de Toulouse-Lautrec (1864–1901), Marcelle Lender tanzt den Bolero. 1895. New York, Sammlung John Whitney.

Eisenstützen mit gläsernen Wänden und Gewölben, wie etwa Paxtons Kristallpalast in London oder die ersten Hochhäuser in Chicago und Eiffels berühmter Turm in Paris, der frei von jedem Zweck, als ein bedeutendes Denkmal der Ingenieurkunst angesehen werden kann. Der deutsche Politiker Friedrich Naumann schreibt über ihn: «Das ist modern! Kein Balken zuviel, alles Eisen, ein Heldengedicht aus reinem Metall, ein Kunstwerk ohne Künstelei. So kommt die neue Zeit. Wir müssen aus dem Steinzeitalter heraus, wenn wir einen neuen Stil haben wollen, der uns gehört.»

257 **Postsparkasse in Wien. 1904/06 erbaut von Otto Wagner
(1841–1918).**

Otto Wagner ist einer der ersten Baumeister, der mit Hilfe von Stahl
und Glas eine neue Ästhetik entwickelt, indem er über das rein Inge-
nieurmäßige hinaus seinen Bauten ansprechende Form verleiht. Für
257 seine Postsparkasse in Wien verwendet er eine Stahl-Glas-Wölbung in
der Formgebung des damals beliebten gedrückten Bogens. Mit feingliedrigen Querbögen und Rippen werden die bisherigen Erfahrungen
im Glasbau zu äußerster Präzision und Eleganz gesteigert. Die flächen-
gliedernden Bodenfliesen und die glatte, durch Fensterraster und
Schalternischen belebte Fläche der Wand geben dem Innenraum bei
aller Sachlichkeit ein glückliches Maß an strukturhafter Anmut.
Neben diesen Bauten der Übergangszeit, die einzig durch klare
Konstruktivität und konsequente Schmucklosigkeit ein neues Stilbe-

wußtsein ankündigen, entstehen allenthalben in Europa Bauwerke im Stil der «neuen Kunst», der in Deutschland unter der Bezeichnung «Jugendstil», in Frankreich als «Art Nouveau» und in England als «Modern Style» Bedeutung erlangt. Am Anfang trägt der Jugendstil stark kämpferische Züge. Ermüdet von der in alten Formen schwelgenden Bau-, Dekorations- und Bildkunst, angewidert von dem konservativ-altväterlichen Gehabe der Akademien und ihren professoralen Repräsentanten, entsteht diese Bewegung um 1895, die mit Hilfe einer neuen Ornamentik zu einem neuen Stil gelangen will.

Gerade mit dem Ornament, der ganz im Künstlichen begründeten Form, glaubt man einer Kunst der Naturnachahmung und des verhängnisvollen Historismus begegnen zu können. Gleichzeitig will man aber auch der um sich greifenden Versachlichung durch den Ingenieurbau entgegenwirken. So zeigt, im Gegensatz zu den reinen Zweckbauten aus Stahl, Glas und Beton der Jahrhundertwende, die Kunstakademie von Mackintosh eine recht lebendige Bauphantasie. Anders auch als **258**

258 Kunstakademie in Glasgow. 1898/99 von Charles R. Mackintosh (1868–1928).

259 Jugendstil-Erker. 1900. Hamburg, Museum für Kunst und Gewerbe.

die traditionelle Fassadenarchitektur ist das Bauwerk asymmetrisch angeordnet. Kein Teil entspricht dem anderen, und doch hat jeder von der inneren Raumordnung her seine Funktion: Der Erker links neben der Tür bezeichnet den Hausmeisterraum, hinter dem eigenwillig ausgeformten Rundbogen liegt das Zimmer des Rektors, und der turmartige Aufbau links umgibt die Treppe zu seinem Atelier. Auch die Anordnung der Fenster wird bestimmt von der inneren Raumordnung. Gegen alle Gewohnheit sind sie oben groß und unten klein; links hat die Fassade vier und rechts fünf Fenster, von denen überdies zwei schmaler sind. Schließlich bewirkt der schnelle Wechsel von vor- und zurückspringenden Baukörpern eine bauplastische Verformung der Wand, die in ihrer scheinbaren Regellosigkeit dem revolutionären Geist des frühen Jugendstils entspricht.

Dennoch ist der Jugendstil eine typische Übergangserscheinung. Für die Traditionalisten bedeutet er eine Provokation, für die Fortschrittlichen ein Signal zum Aufbruch. Die bedeutendsten Vertreter des Jugendstils wenden sich schon bald von ihm ab und werden damit die Wortführer einer neuen Sachlichkeit im Bauen und Gestalten und damit zu Pionieren der modernen Kunst. So hat denn auch der Jugendstil seine besten Leistungen weniger im Bereich der Bau- und Bildkunst, als auf dem Gebiet der Innenarchitektur und des Kunsthandwerks vorzuweisen. Wie die Maler der Zeit den Blick auf die elementaren Ausdruckskräfte der Fläche, der Farbe und des Umrisses lenken, so fordert man jetzt auch beim Gebrauchsgegenstand die organisch-einheitliche, scheinbar gewachsene Form aus unverfälschtem Material.

260 Schrank von Hector Guimard. Um 1900. Paris, Musée des Arts Decoratifs.

259 Diese vegetativ-klaren Formen zeigt der typische Jugendstil-Erker als Ganzes in der grottenartigen Ausbuchtung, die Öffnung und schützende Umrahmung gleichermaßen ist, sowie in allen Einzelheiten: dem schmiedeeisernen Leuchter, den blaugetönten, mit stilisierten Wasserrosen verzierten Scheiben und schließlich den eleganten, dem Schwung von Lianen nachempfundenen Formen der Möbel. Gaillards Kanapee

263 zeigt «stilisierte» Rokokoformen, wobei der feingliedrige Holzrahmen höchst wirksam mit der einfachen, aber vom Material her edlen Polsterung kontrastiert. Das gleiche Prinzip erkennt man auch an seinem

261 Buffet: Glatte, klare, nur durch die Holzmaserung belebte Flächen werden von feinen, rokokohaften Ornamenten vegetativ umrankt. Die Füße sind gewissermaßen die Wurzeln, aus denen heraus diese Schlingpflanzen ihre Kraft beziehen. Weniger verspielt hingegen gibt

262 sich der Tisch von Majorelle. Aus den Knotenfüßen erwachsen hier zwei Systeme von spitzbogig zulaufenden, in sich verdrehten Streben, die die Tischplatte bzw. die kleine untere Ablage stützen. Es ergibt sich

dadurch ein höchst reizvolles Spiel von sich überschneidenden, auseinanderstrebenden und wieder zusammenlaufenden Linien, das bei aller Dekorativität den funktionsmäßigen Charakter der tragenden Elemente klar zum Vortrag bringt. Derartig exklusive Möbel, zu denen man auch den kleinen skurril-asymmetrisch geformten Schrank von Guimard zählen kann, begründen um 1900 den kurzen Ruhm des Jugendstils. Aber schon bald kommt er in regelrechten Verruf, als gewissenlose Fabrikanten qualitätslose Nachahmungen von Entwürfen dieser Künstler herstellen und mit billiger Massenware den Markt überschwemmen. Auch die Rückgriffe unserer heutigen Mode- und Werbeindustrie können kaum zum besseren Verständnis dieser an sich erregenden Stilepoche beitragen.

260

262 Tisch von Louis Majorelle. 1900. Nußbaum mit Thuja furniert. Hamburg, Museum für Kunst und Gewerbe.

261 Buffet von Eugène Gaillard. 1900. Nußbaum. Hamburg, Museum für Kunst und Gewerbe.

◀

263 Kanapee von Eugène Gaillard. 1911. Palisander und Seide. Paris, Musée des Arts Décoratifs.

DER FAUVISMUS

264 Henri Matisse (1869–1954), Goldfische und Skulptur. 1911.
New York, Museum of Modern Art, Coll. Whitney.

Während die Kubisten, anknüpfend an Cézannes Vorarbeiten, die Reduktion des Raumes in die Fläche mit Hilfe der strengen Linien und der geometrischen Figur bewirken, suchen die Fauves dieses Problem mit der Farbe zu lösen. In dem Gebrauch der reinen Farbe gehen sie bis an die äußerste Grenze, d. h. sie räumen ihr den absoluten Vorrang vor der Form ein. Sie treten damit die unmittelbare Nachfolge Gauguins an, doch während er die Farbe zu symbolhafter Aussage steigerte, geht es den Fauves um den Selbstwert der Farbe. Der Fauvismus ist daher nicht erregend und provozierend, sondern im Grunde dekorativ, passiv, obgleich der Name dieser Richtung, den ihr ein boshafter Kritiker anläßlich der ersten Ausstellung 1905 (Parmi les Fauves = wie unter Wilden) gibt, genau das Gegenteil aussagt.

Wenn Henri Matisse, der Hauptvertreter des Fauvismus, bekennt, daß ihm «eine Kunst voll Gleichgewicht, Reinheit und Ruhe vorschwebt», so bedeutet dies ein Bekenntnis zu jener typisch französischen Tradition des Klassizismus, der sich die Malkunst hierzulande von jeher verpflichtet gefühlt hat. Was einen Claude Lorrain von einem Dufy oder einem Matisse unterscheidet, ist die Form, nicht aber die Gesinnung. Was sie verbindet, ist das Streben nach einer ganz im Malerischen begründeten Harmonie, unbehindert durch gedanklichen Ballast. «Wir wollen die Reinheit der Mittel wiederfinden», sagt Matisse, und was ihn interessiert sind «Aufbau und Farbflächen, Aufsuchen der stärksten Farbwirkung – der Stoff ist gleichgültig. Denn der Natureindruck ist dem Geist des Bildes unterzuordnen.»

So ist denn auch die Realität in dem vorliegenden Bild flächig verfremdet, der Gegenstand, die Figur und der Raum werden als reine Farbelemente behandelt, sie fügen sich in Form und Farbe einzig dem Ordnungswillen des Künstlers. Das Blau verbindet Wand und Tisch zu einer gemeinsamen Fläche. Das komplementäre Rot-Grün bildet den Konzentrationspunkt der Komposition, von dem aus die Farbelemente in unterschiedlicher Intensität und Formung sich in die Bildfläche erstrecken. Der breite Ockerstreifen hält der Figur die Waage, das Wandbord korrespondiert mit dem Goldfischglas, wobei das grüne Dreieck eine formale Verbindung herstellt – eine höchst dekorative Flächenordnung also, die sich gedanklicher Interpretation entzieht. **264**

Sehr viel wirklichkeitsbezogener sind die Landschaften Marquets, zumindest erscheinen sie dem an moderne Kunst gewöhnten Auge fast konventionell. Man darf aber nicht das Entstehungsjahr 1906 übersehen, und damals empfindet man ein derart flächenhaftes Landschaftsstück geradezu als Provokation des guten Geschmacks. Him- **265** mel, Wasser, Strand und Promenade sind in kühlen grau-blauen Tönen gegeben, wobei ein schattenloses Farblicht jede atmosphärische Tiefenwirkung verhindert. Eine scharfe Formbegrenzung durch feste Linien unterstreicht den Flächencharakter, wenige schwarze Strichfiguren beleben diese Flächen. Lediglich die beiden Matrosen im Vordergrund sind näher beschrieben, doch dienen auch sie in erster Linie dazu, den Farbakkord von Blau, Rot, Schwarz und Weiß, der für die ganze Szene bestimmend ist, zu intonieren.

Daß die Farbe einen Selbstwert hat, also unabhängig von der Farbigkeit der Naturwirklichkeit sich im Bildorganismus entfalten soll, hat schon Gauguin erkannt, als er sagte: «Sehen Sie diese Bäume? Sie sind gelb. Also setzen Sie Gelb hin. Und der Schatten ist eher blau, also malen Sie mit reinem Ultramarin. Die roten Blätter? Nehmen Sie Vermillon.» Die Fauves gehen noch einen Schritt weiter, indem sie mit bewußt unwirklichen Farben eine unverwechselbare höhere Bildwirklichkeit schaffen. Derain gewinnt sie bei seiner «Tänzerin» durch entschieden naturferne Komplementäreffekte (Rot-Grün und Blau-Orange), ferner durch eine vereinfachende, kürzelhafte Zeichnung, die gelegentlich deformiert (wie bei der über dem Oberschenkel liegenden Hand) oder expressiv übertreibt (wie bei den viel zu großen Augen).

Derain sieht in dieser völlig freien Farbgebung «Dynamitladungen», die Licht entladen sollen. Aber während er, ebenso wie Matisse, stets den ordnenden Ausgleich im Kolorit anstrebt, will Vlaminck, angeregt durch die expressiven Farbvisionen van Goghs, durch die Farbe dem Bild zu ekstatischer Ausdruckskraft verhelfen. So zieht sich über seine Straßenszene eine massige, braungoldene Farbbewegung, die den Schwerpunkt mit dem beliebten Rot-Grün-Kontrast unbekümmert nach rechts drängt. Er schafft damit ein dynamisches Wechselspiel von formleeren Flächen und mit gedrängten Formen überladenen Partien, von fast trostloser Weite und einer fast beängstigenden Nähe. Die braunrote Fassade des Restaurants starrt mit den dunklen Fensterhöhlen voller Aggression, das giftige Grün und das kalkige Weiß der folgenden Hauswände ergänzen sich zu einem Ensemble voller Feindseligkeit und Bedrohlichkeit. Daß es sich hier also um ein Bild-Gleichnis handelt, zeigen im rot-zerhackten Vordergrund mit den hingeworfenen Linienbruchstücken die Farbstreifen des Baumgebildes, dessen Gelb mit dem Gelbstreifen des Hauses ein Kreuz bildet.

Doch abgesehen von derartigen Darstellungen Vlamincks vermeidet der Fauvismus die hintergründige Gedanklichkeit. Er neigt stets zum Dekorativen, zum Malerischen im ursprünglichsten Sinne, nämlich mit

266

268

den Mitteln der Farbe und der Linie einer höheren, künstlerischen
Wirklichkeit Ausdruck zu verleihen. Ganz aufgegeben jedoch, wenn
auch oft nur summarisch angedeutet, werden die gewohnten Mittel der
Wirklichkeitswiedergabe im Fauvismus nicht, aber sie verwandeln das
Bild entschiedener als bisher in einen reinen Kunstentwurf. So erhält
Dufy bei seinem Straßenbild von Trouville noch den perspektivischen **267**
Bildraum, aber er baut ihn nicht mehr aus körperhaften Elementen,
sondern aus reinen Flächen. Die Plakatwand scheint ihm hier beson-

**265 Albert Marquet (1875–1947), Am Strand von Fécamp. 1906.
Paris, Musée d'Art Moderne.**

266 André Derain (1880–1954), Die Tänzerin. 1906. Kopenhagen, Statens Museum for Kunst.

ders geeignet zur Verdeutlichung seiner Absichten, nämlich den Raum einzig durch die Farbe zu definieren. Was sich hier scheinbar zufällig in der Wirklichkeit zeigt, das unvermittelte Nebeneinander von gegeneinander kontrastierenden Farbflächen, das führt er im Hintergrund bei den Häusern fort, nun aber im Sinne einer freien Farb- und Formrhythmik. Kontrastierend zu diesen festen Farbflächen stehen die in duftigen Tönen gegebenen Flächen von Himmel und Erde, in letztere sind wiederum als belebende Elemente die reinen Silhouetten der Passanten eingesetzt. So wird denn der Gegensatz von Vorder- und Hintergrund trotz der perspektivischen Straßenflucht aufgehoben. In beiden Ebenen herrscht die gleiche summarische Vereinfachung der Form, gleichzeitig aber auch die scharfe Formbegrenzung durch die Linie. Vorn wie hinten herrscht die gleiche lichte Farbigkeit, das Naturlicht wird in diesem Bildraum völlig vernachlässigt, entsprechend auch der reale Schatten, der sich lediglich bei einigen Figuren als farbiges Leuchten zeigt.

267 Raoul Dufy (1877–1953), Plakate in Trouville. 1906. Musée d'Art Moderne.

268 Maurice Vlaminck (1876–1958), Straße in Marly-le-Roy. 1905/06.
Paris, Musée d'Art Moderne.

Ungleich gewaltsamer als bei Dufy sieht sich der Betrachter bei van
269 Dongens «Clown» in einen einzig durch die Farbe definierten Bildraum
versetzt – jegliche Andeutungen von Perspektive fehlen. Das beherr-
schende Rot nämlich, das sich bis zu den Schultern der Figur auch als
Tiefenraum sehen läßt, verwandelt sich, sobald man den Übergang
in das Gelb der Manege ins Auge faßt, in eine schluchtartig herabstür-
zende Fläche. Damit wird aus dem dekorativen, wiederum in komple-
mentären Kontrasten (Blau-Orange, Rot-Grün) leuchtenden Farbauf-
bau zugleich eine Doppelwelt aus Wirklichkeitsraum und erdachtem

Farbraum. So wird mit rein malerischen Mitteln die Doppelbödigkeit der Zirkuswelt verdeutlicht. Es erscheint also die alte tragische Gestalt des traurigen Harlekin, des Gilles, des Bajazzo in neuer Gestalt, als das Symbol der Vereinsamung des Individuums, aber auch als das Symbol der verkehrten Welt, in der der Clown der einzig Weise ist. Dieses Thema, bei dem «Fauve» van Dongen noch als ein rein malerisches Problem verstanden, wird wenig später von den Expressionisten im Sinne einer direkten Zeitkritik erneut aufgegriffen.

269 Kees van Dongen (1877–1968), Der Clown. 1905.
Paris, Privatbesitz.

KUBISMUS

270 Pablo Picasso (1881–1973), Les Demoiselles d'Avignon. 1907. New York, Museum of Modern Art.

Bereits bei Cézanne begann die Auflösung der sichtbaren Formen in geometrische, flächige Figuren, man hat ihn daher zu Recht als den Vater des Kubismus bezeichnet. Aber Cézanne verfolgte mit dieser Malerei kein Programm, selbst in seinen Spätwerken dominiert das Malerische über die Form. Anders die Kubisten – sie behandeln das Bildmotiv mit analytischer Logik und bauen ihre Bilder mit kühlem Verstand. Das Motiv an sich ist ihnen nur insofern interessant, als es ihren Bildkonstruktionen dient. Sie beschränken sich daher in erster Linie auf die Darstellung solcher Gegenstände, deren stereometrische und geometrische Formen sich besonders gut für ihre kristallinen, kubischen Kompositionen eignen. Sie malen zunächst anspruchslose Stillleben, die sie aus Flaschen, Gläsern, Büchern, Musikinstrumenten aufbauen. Am Anfang steht das Prinzip, nicht das Thema.

Der Kubismus bedeutet das Ende der illusionistischen Malerei. Konsequenter noch als die Fauves betrachten seine Vertreter das Bild wieder als Fläche und versuchen, den Gegenstand in die Zweidimensionalität zurückzuführen. Um ihn der Fläche gefügig zu machen, wird er systematisch deformiert, d. h. die Wirklichkeit wird künstlich-subjektiv umgewandelt, sie wird abstrahiert. In letzter Konsequenz führt diese Abstraktion schließlich zur völligen Gegenstandslosigkeit.

Das erste rein kubistische Bild ist Picassos «Les Demoiselles d'Avignon». Picasso vereinfacht in diesem epochalen Werk radikal die Form **270** des menschlichen Körpers – wie mit Axtschlägen zurechtgehauen erscheinen diese Figuren – und nimmt ihnen dadurch jedes körperliche Volumen. Er geht dabei sogar so weit, daß er sogar die Gesichter als reine Fläche gibt, sie also gleichzeitig als Vorderansicht und auch als Seitenansicht malt. Diese Art des in die Fläche «geklappten» Gesichtes taucht später in seinen Bildern fast sämtlicher Perioden wieder auf.

Die Deformierung des Dinglichen, bei Picasso zunächst zögernd vorbereitet, vollzieht sich bei Braque (und später auch bei Picasso) wesentlich konsequenter. Er zerlegt die Gegenstände in, wie ein Kritiker es **272** nennt, «Kuben», wobei er sie bis an die Grenze des Ungegenständlichen deformiert. Das Sichtbare wird also nicht mehr beschrieben, sondern in seine inneren Strukturelemente zerlegt. Die Geige erscheint im Sinne eines abstrakten Vorstellungsbildes mit ihren bestimmenden Wesensmerkmalen in allseitiger Perspektive, sie ist zusammen mit dem Krug Teil eines nicht mehr deutbaren Flächengefüges. Aus dem Naturgegenstand wird, wie es der am oberen Bildrand naturalistisch gemalte Nagel verdeutlichen soll, ein Kunstgegenstand. Es geht also nicht mehr um das Wesensbild, sondern um das «Ding an sich».

271 Juan Gris (1887–1927), Guitarre, Buch und Zeitung. 1920.
Basel, Kunstmuseum.

272 Georges Braque (1882–1963), Geige und Krug. 1910.
Basel, Kunstmuseum.

Um der Gefahr einer zu weitgehenden Entsinnlichung des Gegenstandes zu entgehen, wie sich das auch bei Picassos Bildnis Vollard deutlich zeigt, fügen Picasso und Braque ihren Kompositionen schon bald Stücke von Zeitungen und Tapeten, Buchstaben und Zahlen ein, oder man «materialisiert» sogar die Farbe durch Beimischung von Sand, Glas oder Sägespänen. Dieser als analytischer Kubismus bezeichnete Stil führt schließlich zum synthetischen Kubismus, bei dem die realistischen Bildelemente durch Formen freier Erfindung ersetzt werden. Wie die realen Formelemente, so wird jetzt auch die Farbe zum selbständigen Konstruktionselement. Juan Gris, der Wortführer dieser Richtung, sieht jetzt nicht mehr seine Aufgabe in der Umformung des körperhaften Gegenstandes in ein Flächenelement, sondern er verwendet freie Flächenformen und freie Farben für seine rein intuitiv

gefundene Bildarchitektur. Er bricht damit endgültig mit der naturalistischen Tradition. Obgleich so alle Voraussetzungen für die gegenstandslose Malerei gegeben sind, ist diese nicht das Ziel von Gris, weil «jeder Betrachter dazu neige, der Malerei gegenständliche Motive zuzuordnen». So bleiben auch in dem vorliegenden Bild mit Krug, Buch und Zeitungsstück knapp angedeutete gegenständliche Zitate, als Elemente einer «malerischen Architektur» aus freien Farbflächen, Kanten und rhythmischen Linien.

271

Die Formerfahrungen der Kubisten werden nun schon bald in den Dienst ganz anderer Bildabsichten gestellt. So verwendet Robert Delaunay die kristallinisch gebrochenen Formen zur Steigerung der Bilddynamik. Bei seinem Eiffelturmbild geht es ihm, entsprechend seiner

273

274　Pablo Picasso (1881–1973), Bildnis Vollard. 1909/10.
Leningrad, Eremitage.

◀

273　Robert Delaunay (1885–1941), Eiffelturm. 1910. Basel, Kunstmuseum.

275 Franz Marc (1880–1916), Rehe im Walde II. 1913/14.
Karlsruhe, Staatliche Kunsthalle.

Auffassung vom Wirken innerer Naturkräfte, sowohl bei den Farben als auch bei den Formen um die «rhythmische Beziehung zwischen gegenständlichen Elementen». Die Wolkenexplosion am Himmel scheint den Turm mit in die Höhe zu reißen, aber nicht im Sinne eines Entwurzelns oder gar Umstürzens, sondern vielmehr als ein optimistisches Miteinander von gestaltenden Kräften der Natur und Zivilisation.

Auch Franz Marc knüpft mit seinen Naturbildern an die Flächenmalerei der Kubisten an, doch steigert er deren kühles, leidenschaftsloses Kompositionsschema zu einem ekstatisch erregten Wirbel von dynamischen Linien und glühenden Farben. Um ein möglichst enges **275** Verschmelzen von Tier und umgebender Natur zu erreichen, löst er, wie Delaunay, das Gesamt der Komposition in kristallinische Formen auf, die durch Überlagern und Verschmelzen ein überaus dichtes Gewebe glasfensterartig leuchtender Farben bilden, in das sich die Tier- und Pflanzenformen willig einfügen. In diesen Naturbildern Marcs offenbart sich jener typisch deutsche Hang zur Mystifikation der Wirklichkeit. Seine überirdisch leuchtenden Farbmosaike deutet er selber als die Ursehnsucht des Menschen nach Vollkommenheit und Reinheit, die nur im kosmischen Sein der unberührten Natur Erfüllung finden kann. Damit ergibt sich auch hier aus den neuen Einsichten in eine zeichenhafte Gleichnissprache mit Formzerlegung, reiner Farbdynamik und rein bildnerischem «Farblicht» das «absolute Wesen» der Tiere und des eigentlichen Seins, das «hinter dem Schein lebt, den wir nur sehen», und der nur in der Durchsicht zur Einsicht führt.

Sehr viel weniger problematisch und weniger gedanklich betrachtet bieten sich die starkfarbenen Kompositionen von August Macke dar. **276** Stärker als Marc bleibt er dem Gegenständlichen verhaftet. Mit spielerischer Leichtigkeit ordnet er nach rein dekorativen Gesichtspunkten kubische, flächige oder auch figürlich-körperhafte Elemente zu einem höchst lebendigen und heiteren Bildorganismus, der gleichwohl eine sehr genaue Flächenplanung erkennen läßt. Die diagonal verspannten Seile verbinden die roten und gelben Eckenflächen zu fester Bildumrahmung, innerhalb derer sich kaleidoskopartig die vielgestaltige und vielfarbige Szene entwickelt. Doch auch sie fügt sich dem strengen Gerüst von horizontalen und vertikalen Linien, das die einzelnen Farbfelder in ein harmonisches Ensemble koordiniert. Es fehlt hier die für den Kubismus charakteristische Deformation des Natürlichen zur Erzielung einer überrealen, künstlerischen Bildwirklichkeit. Aber bei Macke scheint sich das Dingliche dem Abstraktionswillen widerstandslos zu fügen. Die Häuser werden zu Farbkuben und bleiben dennoch

276 August Macke (1887–1914), Der Seiltänzer. 1914.
Bonn, Städtische Kunstsammlungen.

in ihrer Realität erhalten, ebenso die Figuren, die in ihren gerundeten
Formen mit den scharfkantigen Elementen wirkungsvoll kontrastieren.
Trotz aller Realitätsbezogenheit entsteht ein reines Vorstellungsbild
im Sinne der Fauves und Kubisten.

Bei Feininger schließlich mäßigt sich die explosive. Dynamik Delau-
nays und die leuchtende Farbigkeit Marcs und Mackes zu höchst sen-
277 siblen Farb- und Formstrukturen. Wie kaum ein anderer Künstler
seiner Zeit versteht er es, den kubistischen Bildaufbau in den Dienst

einer romantischen Bildauffassung zu stellen, so daß man ihn bisweilen sogar mit C. D. Friedrich vergleicht.

So läßt denn die hier vorgestellte Bildfolge erkennen, daß der Kubismus weit mehr ist als eine doktrinäre Formpolemik, sondern eine sich selbst legitimierende Bildsprache, in der sich das abstrahierende Denken dieses neuen Jahrhunderts offenbart.

**277 Lyonel Feininger (1871–1956), Fischerflotte in der Dünung. 1912.
Hannover, Sammlung B. Sprengel.**

278 Edvard Munch (1863–1944), Roter Wildwein. 1900. Oslo, Munch-Museet.

DER EXPRESSIONISMUS

1911 prägt Herwarth Walden den Begriff «Expressionismus» für alle fortschrittlichen künstlerischen Richtungen seiner Zeit, also auch für den Kubismus und den Fauvismus, den Surrealismus und die gegenstandslose Malerei. Inzwischen ist diese zunächst sehr weit gefaßte Bezeichnung zum Stilbegriff für jene spezifisch nordische Kunst geworden, der es nicht um den sinnlichen oder dekorativen Eindruck der bloßen Erscheinung geht, sondern die sich um die seelische, geistige oder auch soziale Analyse, also um die Darstellungen der «hinter den Dingen» liegenden Seinswahrheiten bemüht. Der Expressionismus zielt auf das Emotionale, er will den inneren Ausdruck erfassen, ganz gleich, ob es sich dabei um die Darstellung von Landschaften, alltäglichen Gegenständen oder Personen handelt.

Als unmittelbarer Vorläufer ist van Gogh anzusehen, dessen ekstatische Malweise und aggressive Farbwirkung in direktem Gegensatz zu dem irisierenden Pinselstrich und der lichten, freundlichen Farbigkeit der Impressionisten steht. Dem Expressionimus fehlt aber, ebenso wie dem Fauvismus, ein einheitliches künstlerisches Programm; mit diesem Begriff wird daher eher eine bestimmte Darstellungsweise als eine genau definierbare Geisteshaltung bezeichnet. Diese expressive Ausdrucksweise war ja bereits bei den spätmittelalterlichen Meistern des Nordens (Grünwald, Baldung Grien) und im Barock bei Frans Hals und Rembrandt, später auch bei Goya deutlich feststellbar, die dann auch immer wieder zur Erklärung und Rechtfertigung zitiert werden.

Dennoch fehlt es dem nordeuropäischen Expressionismus nicht an einem ideologischen «Anliegen». Alle Probleme des anbrechenden Industriezeitalters, die Vermassung einerseits und die Vereinsamung des Individuums andererseits, sind Themen, für die sich diese Kunst leidenschaftlich engagiert, und zwar im Sinne direkt vorgetragener Gesellschaftskritik, sozialer Anklage oder auch im Sinne eines resignierenden Zivilisationspessimismus.

Das neue, von Angst, Unsicherheit und inneren Widersprüchen geprägte Weltbild findet in dieser Zeit in der Literatur Nord- und Osteuropas wichtige Protagonisten. In Rußland sind es die großen Epiker Tolstoj und Dostojewski, in Norwegen Ibsen, Björnson und Hamsun, in Schweden Strindberg, in Dänemark Kierkegaard und in Deutschland Gerhart Hauptmann, die das Bild eines Menschen zeichnen, das anders aussieht als das der Neuromantiker und Neuklassizisten in Frankreich. Es ist das Bild eines von Leidenschaften und Dämonen getriebenen Wesens, das den Kräften der Natur und den unbarmherzigen Gesetzen der Gesellschaft hilflos ausgeliefert ist.

In der Malerei erscheint dieses fragwürdige Weltbild in vielerlei Parabeln verkleidet. Bei dem Belgier James Ensor ist es immer wieder ein ebenso belustigendes wie erschreckendes Panoptikum von Grimassen und Larven, monströsen Karnevalsgestalten, höhnisch feixenden Wesen, die dem Beschauer unmittelbar konfrontiert werden. Die Maske ist für Ensor das Symbol der Verstellung, das Lachen Ausdruck des Lächerlichen, die grellfarbenen Kostüme sind Sinnbilder der Eitelkeit.

279

Bezeichnenderweise haben die meisten Figuren Ensors keine richtigen Augen, sondern nur dumpf-glotzende Höhlen, wie sie Puppen oder Marionetten haben – gesichtslose Wesen also, unfähig zu sehen und damit auch unfähig zum Erkennen, stark nur in der Masse, aber in ihr dann brutal, bösartig – so sieht Ensor die Gesellschaft um 1900.

Der Norweger Munch zeigt nun die Opfer dieser Gesellschaft, entwurzelte, haltlose Wesen, denen er selber in seiner Kindheit im Armenviertel von Christiania begegnet war. Solch deprimierende Kindheitserinnerungen, in denen Tod und Krankheit eine wichtige Rolle spielen, das trist-düstere Milieu der sozial Benachteiligten – das ist der Themenkreis, dem er sich fast ausschließlich widmet. Diese erlebte und durchschaute Wirklichkeit verdichtet er in seinen Bildern zu symbolhaften Psychogrammen, in denen die menschliche Figur stets in ihrer schicksalhaften Abhängigkeit von einer ihr feindlichen Umgebung

278 gezeigt wird. In der Darstellung «Roter Wildwein» ist das massige Haus mit dem aggressiven Rot Sinnbild einer herzlosen, sich selbst genügenden Gesellschaft. Dem Menschen bleibt hier nur der Fluchtweg in ein düsteres Draußen, das schreckhaft geweitete kranke Gesicht mit der weiß-grünen Blässe läßt das Maß der Existenzgefährdung erkennen, die den Ausgestoßenen jenseits des bürgerlich-soliden Zauns erwartet.

Der malerische Stil Munchs folgt konsequent den gedanklichen Absichten. Der perspektivisch verkürzte Weg dient nicht mehr der Definition des Naturraums, er soll vielmehr die panische Flucht dieses Menschen verdeutlichen. Die schmierig-düsteren Töne des Bodens bedeuten bildnerisch die abgrundtiefe Wesensverschiedenheit zwischen dem vereinsamten Individuum und der festgefügten Welt der «etablierten» Gesellschaft, versinnbildlicht durch die in lichten Farben gegebenen Häuser. Es ist das Spannungsverhältnis zwischen Ich und Welt, das sich seither nie wieder löst, sondern in Bildgleichnissen wachsender Verfremdung nur noch eindringlicher dargestellt wird.

Die Gesellschaftskritik äußert sich vor allem bei den deutschen Expressionisten in einem wachsenden Unbehagen an den traditionsbewußten Kultur- und Bildungsinstitutionen, die im Dienst dieser Gesellschaft stehen. Aus Protest gegen den offiziellen Kunstbetrieb schließt man sich zu Interessengemeinschaften, zu «Sezessionen», zusammen, die sich zu Sammelbecken aller fortschrittlichen und revolutionären Kräfte entwickeln. Eine der bedeutendsten Gruppen ist die 1905 in Dresden gegründete «Brücke», deren Mitglieder Kirchner, Bleyl, Heckel und Schmidt-Rottluff, ohne je eine Akademie besucht zu haben, den deutschen Expressionismus begründen. In den ersten Jahren unterhält

279 James Ensor (1860–1949), Die sonderbaren Masken. 1892.
Brüssel, Musée d'Art Moderne.

280 Ernst Ludwig Kirchner (1880–1938), Fünf Frauen auf der Straße. 1913. Köln, Wallraf-Richartz-Museum, Sammlg. Haubrich.

die Gruppe kaum irgendwelche Kontakte mit anderen Künstlern im In- und Ausland. Durch intensive Farbgebung und Deformierung des Gegenständlichen, gelegentlich auch durch Verzerrung, wollen sie zu übersteigerter Ausdruckskraft kommen. Das Kunstwerk soll nicht dem ästhetischen Genuß, sondern dem elementaren Erlebnis dienen. Anregungen finden sie daher weniger in der modernen Kunst Frankreichs, als in der des Mittelalters mit ihren unrealistischen Figurationen und Farbklängen, aber auch in den groben Bildwerken der Primitivvölker und in der Volkskunst. Die Entdeckung der ausdrucksstarken Negerplastik als Zeugnis eines elementaren, von der abendländischen Kultur unabhängigen Gestaltungswillens datiert aus dieser Zeit.

284

Auch in der Landschaftsdarstellung verwandeln sich die realen Naturformen zu urtümlichen, fast primitiven Bildzeichen, und zwar unter Aufhebung der traditionellen perspektivischen Beziehungen. Heckels Landschaft ist kein überlegt geordneter Bildorganismus, sondern eine von inneren Kräften und Spannungen erschütterte Farb- und Lichtvision, durch die Heckel die urtümliche Gewalt der Naturelemente bildlich verdeutlichen will. Die Arbeiten der «Brücke»-Künstler aus den Dresdener Jahren zeigen, bei aller Expressivität in Malweise und Farbgebung, eine heitere Grundstimmung. Das ändert sich, als man 1911 nach Berlin übersiedelt, wo man sich eine bessere Resonanz erhofft.

281

281 **Erich Heckel (1883–1969), Landschaft auf Alsen. 1913.**
Essen, Museum Folkwang.

Vor allem Kirchner wird durch das hektische Treiben der Großstadt und die Oberflächlichkeit der Gesellschaft zutiefst beunruhigt. Seine Stadtbilder aus Berlin sind beängstigende Visionen einer entseelten Welt; auf den Figurenbildern – Straßenszenen, Porträts, Gruppen – erscheint der Mensch bis zur Karikatur verzerrt. Die Dandys, die Damen der Halbwelt und der großen Gesellschaft wirken wie hungrige, lüsterne Geier, blutleer, gespenstisch in die Länge gezogen, mit großen, umschatteten Augen und Hakennasen. Die Deformation des Natürlichen

282 Emil Nolde (1867–1956), Slovenen. 1911. Seebüll, Noldestiftung.

283 Oskar Kokoschka (geb. 1886), Selbstbildnis. 1913.
New York, Museum of Modern Art.

dient hier nicht mehr der formal-künstlerischen Abstraktion, sie ist legitimes Ausdrucksmittel gesellschaftskritischer Absichten.

Auf der Suche nach dem neuen, von Zweifeln und Widersprüchen geprägten Menschenbild wird auch die eigene Person einer kritisch strengen Analyse unterzogen. Unter dem Eindruck der neuen Untersuchungen über das Unterbewußtsein, die sein Landsmann Sigmund Freud am Anfang des Jahrhunderts unternimmt, malt Oskar Kokosch-

283 ka jenes sezierende Selbstbildnis. Der gewaltsam in die Länge gezogene Kopf mit den kalt-leuchtenden Farben und den dunklen Flekken läßt das Gesicht zu dem reinen Wesensbild eines Menschen werden, der die Fragwürdigkeit seiner eigenen Existenz zu erkennen bereit ist.

285 Noch hintergründiger und dämonischer faßt sich Max Beckmann ins Bild. Sein kahler, kantiger Schädel wirkt wie ein Totenkopf, das blutrote Halstuch wie eine Henkersschlinge, die die kalkig-weiße Gestalt brutal zerteilt – eine fast zynische Selbstdarstellung. Aber seine Gestalt ist nur ein Widerhall, ein Echo dessen, was seine Augen wahrnehmen, die erbarmungslose Gegenwart, eine unmenschliche Gesellschaft. Wie seine Selbstbildnisse, so ist auch Beckmanns übriges Werk erfüllt

126

von dem Willen, das Unheilvolle bloßzulegen, um es dadurch zu bannen und die neuen Dämonen dingfest zu machen. Beckmanns Kunst darf man also nicht als Ausdruck eines tragischen Weltgefühls sehen, im Gegenteil, in ihr wird das Tragische und Schreckliche bewältigt.

Der dritte Einzelgänger neben Kokoschka und Beckmann ist Emil Nolde. Er ist der einzige unter den Malern der Zeit, der mit leuchtenden, sinnlich glühenden Farben arbeitet. Er will bis hin zu seinen heiteren Blumenaquarellen seiner späteren Jahre das «Urwesenhafte» mit Hilfe radikaler Formvereinfachung und expressiver Farbgebung darstellen. Seine «Slovenen» sind solche «Urwesen», voller Kraft und Leben, wie sie mit ihren Körpern den Raum sprengen, wie sie aus dem magisch-roten Licht herausglühen, ihr Menschsein demonstrieren.

282

284
Max Pechstein
(1881–1955),
Stilleben mit
Negerplastik. 1917.
Mannheim,
Kunsthalle.

◀

285
Max Beckmann
(1884–1950),
Selbstbildnis mit
rotem Schal. 1917.
Stuttgart, Württ.
Staatsgalerie.

GEGENSTANDSLOSE KUNST

286 Wassily Kandinsky (1866–1944), Improvisation 30. 1913.
Chicago, The Art Institute.

Die gegenstandslose Malerei ist die notwendige und folgerichtige Konsequenz von Abstraktionsbemühungen, mit der die Bildkunst seit dem ausgehenden 19. Jahrhundert sich aus der traditionellen Verpflichtung der Naturwiedergabe befreit hat. «Die vom Geiste aus der Vorratskammer herausgerissenen Verkörperungsformen», so sagt Kandinsky, «lassen sich leicht zwischen zwei Pole ordnen: die große Abstraktion und die große Realistik ... Die große Abstraktion ist das Bestreben, das Gegenständliche ganz auszuschalten und den Inhalt in unmateriellen Formen zu verkörpern.» Aus dieser Einsicht heraus schafft er 1910 «Das erste abstrakte Aquarell», das einen Markstein in der Geschichte der modernen Kunst darstellt, gleichzeitig aber auch einen folgerichtigen Abschluß einer bereits von den Impressionisten eingeleiteten Revolution in der Malkunst. Sie waren es, die bei ihren Darstellungen auf den erzählbaren Inhalt verzichteten und sich auf die reinen Erscheinungselemente des Realen beschränkten. Über Monets «Heuschober» schreibt Kandinsky anläßlich einer Ausstellung in Moskau 1895: «Ich empfand dumpf, daß der Gegenstand in diesem Bild fehlt, und merkte mit Erstaunen, daß dieses Bild nicht nur packt, sondern sich unverwischbar einprägt. Das war die ungeahnte, mir bis dahin verborgene Kraft der Palette, die über alle meine Träume hinausging.»

Der zweite Schritt zur Abstraktion erfolgte gegen Ende des Jahrhunderts durch die Kubisten, die die Perspektive als bewußte Sinnestäuschung aus ihren Bildern verbannten. Die Abkehr von der natürlichen Farbgebung vollzogen schließlich die «Fauves». Indem sie die reine, unvermischte Farbe zur künstlerischen Steigerung der Bildwirkung verwendeten, gelangten sie zu einer von der Realität unabhängigen Bildwirklichkeit. Nach der Abstraktion des Bildinhalts, des Bildraumes und der Naturfarbe blieb als letzter Schritt die Abkehr von der natürlichen, gegenständlichen Form.

Die Ausdrucksmöglichkeiten der gegenstandslosen Malerei sind, so zeigt ihre inzwischen mehr als sechs Jahrzehnte andauernde Entwicklung, überaus vielfältig. Sie reichen von der freiimprovisierten gegenstandslosen Farb- und Linienordnung, wie sie von Kandinsky ausgeht, **286** bis zur überlegten geometrischen Konstruktion eines Mondrian, von **292** der fantasievollen Bildzeichenfindung eines Klee oder Miró bis zu dem nicht mehr formgebundenen, durch Farbspritzer und -flecken sich kennzeichnenden Tachismus. In einer Zeit wie der unsrigen, in der die Naturwissenschaft in Bereiche vorgestoßen ist, in der es keine sinnlich vorstellbaren Formen mehr gibt, die sich uns nur noch durch Analogien,

Modellbilder und abstrakte Figuren erschließen, unternimmt auch die Bildkunst das Abenteuer, die Beziehungen zu den sichtbaren Erscheinungsformen endgültig zu lösen, um zu neuen, den naturwissenschaftlichen Einsichten adäquaten Bildformen zu gelangen.

286   Bei Kandinskys «Improvisation» geht es um die «Wirkung der Farben und Formen», um das Zusammenklingen von Tönen, um die Spannung zwischen leichten und schweren Bildelementen. Eine Diagonale grenzt den vorwiegend hellen Bildteil von dem dunklen ab, wobei Linien-

288 Paul Klee (1879–1940), Park bei Lu. 1938. Bern, Kunstmuseum. ▶

287   Joan Miró (geb. 1893), Frauen und Vogel bei Mondschein. 1949.
London, Tate Gallery.

bündel mit unterschiedlichem Richtungsverlauf die Farbgruppen aneinanderketten, gleichzeitig aber auch eine expressive Bewegung verursachen, wobei gegenständliche Andeutungen, wie etwa die Umrisse einer Kanone, die Phantasie des Beschauers anregen sollen.

Bildzeichen dieser Art finden sich durchgehend bei Klee. «Die Kunst», so schreibt er, «geht über den Gegenstand hinaus, über den realen wie den imaginären. Sie spielt mit den Dingen ein unwissendes Spiel. So wie das Kind im Spiel nachahmt, ahmen wir im Spiel die

288

Kräfte nach, welche die Welt erschaffen.» Diese Lust am Erschaffen von neuen Formen und Zeichen, für die es weder in der Natur noch in den von Menschenhand gestalteten Werken Vorbilder gibt, ist für ihn die Urquelle seiner künstlerischen Tätigkeit.

In ihrer Farbenfreudigkeit und heiteren, einfachen Formensprache sind die Bilder Mirós denen Klees verwandt, jedoch ist seine Hieroglyphensprache bewußt skurriler als die Klees. Miró geht dorthin zurück, wo die Kunst der Primitiven, der Indianer und Eskimos, der Neger und Kinder beginnt. So erfindet er eine lebhafte Bilderschrift für Sonne und Mond, für Pflanzen und Getier, für Menschen und Geister.

Bei Fritz Winter verrät allenfalls der Titel noch die Bildabsicht. Die bizarren Strichfolgen unterschiedlicher Richtung, Farbe und Dicke sind völlig freie Formfindungen, die sich auf dem monochromen Hintergrund zu einer nur visuell erfaßbaren Ordnung zusammenfinden. Denn es geht auch Winter, wie Nay von sich schreibt, um die «Urformen der Gestaltung», um die Elementareinheit aus «Rhythmus, Dynamik und Farbordnung», die der Beschauer genauso auf sich wirken

287

290

289 Ernst Wilhelm Nay (1902–1968), Komposition mit Schmetterlingen. 1948. Hamburg, Kunsthalle.

290 Fritz Winter (geb. 1905), Africana 1957. Privatbesitz.

lassen muß wie ein Musikstück. So spricht Nay geradezu von einem
«Tonsatz» der Farben. Er vergleicht seine Malerei mit dem musikali-
schen Kontrapunkt, denn auch er erstrebe einen «Komplex von Be-   **289**
zogenheiten, in denen mehrförmige und mehrfarbige Figurationen in
einem mehrfarbigen und mehrförmigen Gesamtgefüge selbständig
voneinander zu führen sind, so daß die Spannungen sich hart gegen-

einander absetzen». Diese Farbmusik, die bei Nay ein fast barockes Pathos entfaltet und bei Mondrian oder Malewitsch eine rational-asketische Strenge besitzt, ist das die gesamte gegenstandslose Malerei verbindende Stilmerkmal. Nur wer bereit ist, diese ebenso unvoreingenommen, nämlich rein sinnlich, auf sich wirken zu lassen, wie die Tonmusik, der wird Zugang zu diesem erregenden Bildstil gewinnen.

292 Piet Mondrian (1872–1944), Tableau I. 1921.
Köln, Wallraf-Richartz-Museum.

291 Kasimir Malewitsch (1878–1935), Suprematische Komposition. 1915.
Amsterdam, Stedelijk-Museum.

DER SURREALISMUS

293 Salvador Dali (geb. 1904), Die brennende Giraffe. 1935. Basel, Kunstmuseum.

Das Traumhaft-Phantastische, das Überreale hat als Thema schon immer die Bildkunst beschäftigt. Bei Hieronymus Bosch um 1500, dann bei den italienischen Manieristen und bei Goya finden sich derartige surreale Bildmotive. Bei Bosch waren es grauenhafte Gnome, Wesen halb Tier halb Mensch, Ungetüme, zwitterhafte Chimären, die dem Menschen eine Vorstellung von der Abscheulichkeit des Lasters und des Bösen geben sollten. Auch der Surrealismus des 20. Jahrhunderts, der es sich zur Aufgabe stellt, die zweite Wirklichkeit, nämlich die des Unterbewußtseins, bildlich zu erfassen, gestaltet das Quälende der Träume, die Halluzinationen, also die Zustände einer kranken Seele.

Marc Chagall ist der erste, der die Welt des Traumes in Bildern festhält, allerdings sind sie bei ihm eher freundlich, voller Poesie und Romantik. Er verlegt Gefühlserlebnisse, Erinnerung an Kindheit und Heimat auf eine irreale Ebene. An Chagall knüpfen die Surrealisten an. André Breton veröffentlicht 1924 sein Manifest des Surrealismus, in dem er ausführt, man wolle «die bisher widersprüchlichen Bedingungen von Traum und Wirklichkeit in eine absolute Wirklichkeit, in eine Suprawirklichkeit auflösen.»

Die Surrealisten malen mit altmeisterlicher Genauigkeit reale Gegenstände wie Architekturen, maschinelle Körper, Schaufensterpuppen oder Gipsbüsten, aber in einem ihrem realistischen Äußeren völlig zuwiderlaufenden absurden Zusammenhang. So schuf Dali für seine «Brennende Giraffe»eine Mondlandschaft von grenzenloser Weite und **293** bevölkerte sie mit übergroßen, in ihrer Körperlichkeit erschreckend realen Traumwesen: die brennende Giraffe und zwei weibliche Figuren, deren lebendiger Bewegungsfluß in grausamem Widerspruch zu den hölzernen Rückgratverstrebungen und zu den aufgezogenen Schubladen steht. Dali bezieht derartige Visionen aus dem menschlichen Grenzbereich, auf den er nach dem Studium Freuds auch in seinen theoretischen Erörterungen verweist, nämlich aus dem «Paranoischen», in dem derart «deliröse Phänomene» sich frei verbinden.

Der Italiener Chirico beschwört mit seiner «Pittura metafisica» ebenfalls eine Welt des Alptraumes. Seine trostlosen Raumweiten gewinnt **294** er durch stark perspektivisch gegebene öde Fassadenkulissen, einen tiefliegenden Horizont und einen darüber sich wölbenden kalt-dunklen Himmel. Beherrscht wird diese Szene von einem monströsen Gebilde aus allerhand Zivilisationsfragmenten, das durch die reglose Gliederpuppe mit glattem, eiförmigem Kopf einen menschlichen Bezug erhält.

Bei dem Belgier René Magritte finden sich in diesen überwirklichen Landschaften nur noch knappe Formzeichen als Erinnerung an die sichtbare Wirklichkeit, wie in vorliegendem Bild bei den naturalistisch gemalten Federn und der Holzmaserung. Hier ist keine verbal nacherzählbare Geschichte gemalt, sondern es werden nur Formfetzen gegeben, die die Phantasie des Beschauers assoziieren soll. «Ich bemühe mich», sagt Magritte», nur Bilder zu malen, die das Geheimnisvolle mit der Genauigkeit und dem Reiz verbinden, die für das Denken not-

294 Giorgio de Chirico (geb. 1888), Große metaphysische Figur. 1916. Berlin, Galerie des 20. Jahrhunderts.

295   Max Ernst (1891–1976), Der große Wald. 1927. Basel, Kunstmuseum.

wendig sind. Ich möchte glauben, daß die Beschwörung des Geheimnisvollen in Bildern vertrauter Dinge besteht, die auf eine Weise zusammengestellt oder umgebildet werden, daß ihre Beziehung zu unseren naiven oder angelernten Vorstellungen aufhört.»

Bei Max Ernst finden wir sehr handgreifliche Hinweise, wie die traditionellen Erfahrungsgebiete erweitert werden können. In der Holzmaserung glatter Holzdielen, die er durch «Frottieren» mit Blei unmittelbar auf Papier bringt, entdeckt er Urformen der Bewegung, Fantasiefiguren aus Linien und Astlöchern.

So entwickelt er aus diesen Erfahrungen die zeichenhafte Gestaltenwelt einer Art moderner Naturmythologie, zu der mit ähnlich ergänz-

296 René Magritte (1898–1967), Die verlorenen Schatten. Um 1927. Grenoble, Musée de Peinture et de Sculpture.

297 Rudolf Hausner (geb. 1914), Forum der einwärts gewendeten Optik. 1948. Museum der Stadt Wien.

ten und variierten, zu Idolen ausgebildeten Kleinststrukturen auch der 295
«Wald» gehört.

Ende der vierziger Jahre erlebt der Surrealismus in der «Wiener Schule» eine überraschende Renaissance. Rudolf Hausner, ihr führender Vertreter, kommt wie Max Ernst durch die intensive Beobachtung der Wirklichkeit zu seinen überwirklichen Inspirationen. So sind denn auch seine vielfigurigen, mit höchster technischer Präzision gemalten phantastischen Kompositionen mosaikartig zusammengefügte Fragmente äußerer und innerer Erlebniserfahrungen. Über sein «Forum» schreibt er: «Es ist für mich eine echte Bilanz meines Lebens, es zeigt 297 die Grundfiguren, aus denen ich zusammengesetzt bin.»

Der Surrealismus hat die Erlebnisfülle und die Grenzenlosigkeit unserer Doppelexistenz vorstellbar gemacht, er ist damit aber auch, wie Dali sagt «das gefährlichste und heftigste Toxin für die Phantasie, das bisher im Bereich der Kunst erfunden worden ist.»

PLASTIK DES 20. JAHRHUNDERTS

**298 Auguste Rodin (1840–1917),
Balzac. 1898. Bronze.
Paris, Place Bréa-Vavin.**

Seit Urzeiten war es die Gestalt des Menschen, die der Bildhauer plastisch formte. Die Götter der Griechen hatten Menschengestalt, die Heiligen, die Engel, ja sogar die Teufel des Mittelalters traten in Menschengestalt auf. Zweifellos beherrschte das Menschenbild auch die Malerei, aber nicht mit der Ausschließlichkeit und mit dieser Notwendigkeit, wie es bei der Plastik der Fall ist. Bis zum ausgehenden 19. Jahrhundert, ja sogar bis weit in das 20. Jahrhundert hinein konnten die Bildhauer einzig in der Gestalt des Menschen ihre Vorstellungen sichtbar machen: religiöse, gesellschaftliche, weltanschauliche, allegorische. Seit der Jahrhundertwende erlebt nun die Bildhauerei einen grundlegenden Wandel, selbst wenn sie zunächst an der Menschenfigur festhält: Die Skulptur verliert an klassischer Glätte, an der Endgültigkeit der Form. Analog zu der fragwürdig gewordenen menschlichen Existenz, Resultat eines tiefgreifenden gesellschaftlichen Strukturwandels, wird die Skulptur zerklüftet, gebrochen in der Linienführung – kurz: fragwürdig in der Form. So ist schon für Auguste Rodin die Plastik eine Kunst der «Höhlungen und Buckel». Er will nicht die geglättete und die in sich abgerundete, in sich ruhende plastische Erscheinung, sondern er sucht als Ausdruck seelischer Spannungen und des «Nicht-Greifbaren» von Empfindungen und Erregungen eine mit Licht und Schatten spielende Oberfläche. Aber als Bildhauer, geschult an den großen Werken der Renaissance, achtet er immer die von der Natur vorgegebene sichtbare und greifbare Form, so daß man ihn zeitweise verdächtigt, er hätte seine Figuren nach Abdrücken lebendiger Modelle geschaffen.

299 Ernst Barlach (1870–1938), Singender Mann 1928. Zinkguß. Hamburg, Kunsthalle.

300
Alexander Archipenko
(1887–1964), Boxkampf.
1913. Bronze. Wien,
Museum des 20. Jahr-
hunderts.

Auch Barlach fühlt sich mit seinen Skulpturen dem äußeren Erscheinungsbild des Menschen verpflichtet, aber er sucht im Menschen das
299 «Urwesenshafte», das sich nicht mehr mit dem landläufigen Naturalis-
mus darstellen läßt. Durch radikale Formvereinfachung – seine Arbeiten fordern immer wieder zum Vergleich mit der frühmittelalterlichen
Skulpturkunst heraus – und durch eine expressive Gebärdensprache

gewinnt er eine über das Abbildliche weit hinausgehende Ausdrucks-
symbolik, die nicht mehr der individuellen Charakterisierung, sondern
der allgemeingültigen Typisierung dienen kann. So gestaltet Barlach
nicht mehr den frommen Menschen, sondern die «Gebärde der Fröm-
migkeit», aber auch die «Gebärde der Wut», das Flehende der Bett-
lerin oder den introvertierten Ausdruck eines Sängers.

299

302 Hans Arp (1887–1966),
Träumender Stern. 1958. Stein.
Hamburg, Kunsthalle.

Die Abkehr von den natürlichen Erscheinungsformen, wie sie von den Fauves und Kubisten seit der Jahrhundertwende im Bereich der Malerei mit Energie betrieben wird, findet auch in der Bildhauerei in einer zunehmenden Abstraktion der menschlichen Figur einen unübersehbaren Ausdruck. Wie es Paul Klee für die Malerei formuliert, so sucht jetzt auch die Plastik einen Neubeginn, der «ganz Ursprung» ist. Es gilt daher zunächst, die elementaren Gesetzlichkeiten des plastischen Gestaltens zu erkennen und in gleichsam primitiver Weise anzuwenden. Es geht um die Form an sich, die von Menschenhand aus der reinen Naturform geschaffene Kunstform, ganz ohne abbildliche Absichten zunächst. In der Urzeit der Menschheitsentwicklung war dies bereits geschehen, als man aus dem Feuerstein den symmetrisch ausgeglichenen Faustkeil herstellte.

So verfremdet der Russe Alexander Archipenko in seiner Boxkampfgruppe derart die menschlichen Figuren, daß sie zu rein dynamischen Formgebilden werden. Der Körper wird nur noch als plastisches Volumen verstanden, Bewegung als Spannung zwischen auseinander- und zueinanderstrebenden Elementen, Räumlichkeit als Gegensatz von Masse und Leere. Auf glänzend polierter Oberfläche wird das Licht eingefangen, das damit der Skulptur weitere Bewegungsmomente verschafft. Selbst der Hohlraum, also die negative plastische Form, wird in die plastische Figur mit einbezogen, bei Archipenko ist es der fünfeckige und der schmale rechteckige Durchblick. Dieses Körper-Raum-Problem spielt in der Gegenwartsskulptur eine wichtige Rolle. So bekennt Henry Moore: «Das erste Loch, das ich durch den Stein bohrte, war für mich eine Offenbarung.» Er will damit sagen, daß dieses Loch erst die Mächtigkeit des Körpers voll zum Bewußtsein bringt, denn es gibt dem Auge und dem

303 Henri Laurens (1885–1954), Sirene. 1944. Bronze. Paris, Musée d'Art Moderne.

300

Tastsinn einen besser abschätzbaren Begriff von der wirklichen Raumstärke. Nicht in allen Epochen ist der Raum in die plastische Form einbezogen worden. Ägyptische und antike Bildhauer bildeten ausschließlich den kompakten Körper. In der hochgotischen Bildnerkunst wird der Versuch unternommen, den Raum in das Bildwerk einzuschließen. Niemals ist ihm aber in der Gesamterscheinung der Skulptur ein solches Mitbestimmungsrecht eingeräumt worden wie in der Moderne. Von der Einbeziehung des Raumes her erklärt sich für einen großen Teil der Plastik ihr überraschendes Aussehen und manche noch ungewohnte Bildung.

301 Duchamp-Villons kubistisch strukturiertes Pferdebild zeigt dieses Wechselspiel von Raum und Körper sehr deutlich: Wie der Raum in vielfältigen Ausformungen und grottenartigen Höhlungen in den Körper hineinwirkt, so dringt der Körper in nicht minder vielfältigen Ausgriffen in den Raum. Man will jetzt, wie Duchamp-Villon als Erläuterung zu diesem Werk sagt, «plastisch jene Dinge erfassen, mit denen sich

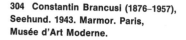

304 Constantin Brancusi (1876–1957), Seehund. 1943. Marmor. Paris, Musée d'Art Moderne.

305 Fritz Wotruba (1907–1975), Sitzende Figur. 1949. Stein. Wien, Österreichische Galerie. ▶

die Plastik vorher niemals abgegeben hat.» Die progressive Plastik um 1910 ist deutlich geprägt von der in der kubistischen Malerei dieser Zeit betriebenen stereometrischen Formzerlegung. Duchamps «Pferd» ist dafür beispielhaft: diese kantigen, immer wieder gebrochenen und neue, überraschende Verbindungen eingehenden Formteile erinnern in ihrer Konstruktivität an Maschinenteile. Auch Archipenkos vital von einem Zentrum in den Raum strebenden, gerundeten und eckigen Formen sind Ausdruck eines dynamischen Weltgefühls, in dem sich eine durchaus op-

300

timistische Einstellung zu dem Maschinenzeitalter mit all seinen neuen erregenden Daseins- und Erscheinungsformen offenbart.

Nach diesen anfänglichen radikalen Abstraktionsexperimenten gewinnen dann in den zwanziger Jahren einige Bildhauer der ersten Stunde wieder ein Verhältnis zum Gegenständlichen. So beginnt auch Laurens zunächst mit kubistischer Plastik, mit scharfwinklig ineinandergeschobenen kantigen Schichten. Um 1927 findet er dann zu organisch sich rundenden Figuren und will sie «so voll, so saftvoll machen,

303 daß man ihnen nichts mehr hinzufügen könnte». Seine «Sirene» ist aus stark vereinfachten elementaren Naturformen zusammengesetzt, gleichsam nur erinnernd an die dem Unterbewußtsein vertrauten Urformen des Kreatürlichen.

Um diese Urform geht es auch Constantin Brancusi, der in ihr das «Wesen der Dinge» sieht. Anders als die kubistischen Bildhauer, die durch Aufbrechen die inneren Strukturen der Dinge sichtbar machen wollen, will er deren inneren Kern bloßlegen. So beschäftigt ihn seit 1910 die vielgestaltige langrunde, vor allem die ovale Form als die ideale Verbindung zwischen organischer Rundung und streng geometrischem Umriß, bis er schließlich zu der «Urform» kommt, dem sorgfältig aus dem Marmor gearbeiteten Ei, das er als «Le Commencement du monde», den «Anfang der Welt», bezeichnet. Wie dann seine späteren, zeichenhaft emporschießenden Vogelkörper, so ist auch sein «Seehund» ein rein plastisches Sinnbild eines Naturwesens. Materialgerecht folgt die plastische Form den Adern des Marmors, ihnen entspricht die Spannung zwischen lagernden und gestreckten Rundungen. Weit über das naturhafte Begriffsbild hinaus ist diese Figur also als

◀

306 Marino Marini
(geb. 1901), Reiter. 1950.
Bronze, stellenweise blau
und weiß getönt. Berlin,
Galerie des 20. Jahrhunderts.

307 Antoine Pevsner
(1886–1962), Spektrale
Erscheinung. 1959. Bronze.
Paris, Musée d'Art Moderne.

308 Julio Gonzales
(1876–1942),
Kaktusmensch. 1940.
Eisen (Bronzenach-
guß). Hamburg,
Kunsthalle.

302

ein rein plastischer Körper zu verstehen, der in seiner handwerklichen Makellosigkeit und eleganten Geschmeidigkeit den sinn- und zweckfreien Formen chinesischer Handschmeichler entspricht.

Mit dem gleichen Willen, über den sorgfältig handwerklichen Formenschliff zu äußerster Formpräzision zu kommen, beginnt Hans Arp um 1930 mit seinen fast lyrischen, völlig ungegenständlichen Skulpturen. Es sind in der freien Rhythmik ihrer Umrisse und der ebenso rhythmisch reichen Durchbildung der Volumen sowie in der sich mühelos ergebenden Verschmelzung von quellenden und sich emporreckenden Formen plastische Figuren von scheinbar organisch gewachsener Vollkommenheit. Daher fügen sie sich auch, wie Arp sagt, «natürlich der Natur ein und lassen erst bei näherer Betrachtung erkennen, daß sie von Menschenhand geformt sind». Auch hier ist die Form zugleich der Inhalt: das Erkennen der ausgewogenen plastischen und linearen Variationen, die Bereicherung der Seherfahrung bis zur heiteren Assoziation, zu reinen Phantasiebildern, die die Werktitel herstellen: «Träumender Stern» oder «Wolkenhirt».

Auch die menschliche Gestalt hat lediglich als Form unter Formen Bedeutung. Man kann sie statt im organischen Formenfluß Archipenkos oder Laurens' als rein stereometrisches Körpergerüst, und zwar in einer Summierung aus monumentalen kantig-flächigen Volumen darstellen, wie das bei Wotruba geschieht. Indem er dann den Natursteincharakter noch durch zusätzliche Meißelarbeit verdeutlicht, kommt er auch von der Elementarstruktur des Materials her zu «Urformen». Die menschliche Figur ist bei ihm also nicht mehr Ausdruck einer bestimmten geistig ideellen Vorstellung, sondern nur noch, ebenso wie andere Naturformen, Anlaß zu gänzlich eigenwertigen Formschöpfungen.

Während Wotruba mit seinen blockhaften Figuren zu einer geradezu archaischen Statuarik gelangt, will Marini bei seinen Skulpturen mit auseinanderstrebender Dynamik die elementaren Urkräfte bildnerisch verdeutlichen. Ihm sind Pferd und Reiter ein Motivkomplex, der zu unbegrenzten Gestaltungsmöglichkeiten anregt, zu immer neuen Variationen eines Grundthemas menschlichen Seins: die Begegnung des Vernunftwesens mit dem Naturwesen, der Versuch des Urmenschen, sich die Welt untertan zu machen; sein erster Anlauf also, sich zähmend und ordnend gegenüber stärkeren Kräften zu behaupten, andererseits aber auch die elementare Auflehnung der Kreatur gegenüber Zwang und Versklavung. Formal bleibt Marini dem Erscheinungsbild nahe, aber gleichfalls nur im Sinne eines reduzierten, stilisierten Begriffsbildes, dessen Eigenständigkeit als reines Kunstobjekt durch Aufrauhungen, Hammerschläge und Farbtönungen unterstrichen wird.

Bewegungsdynamik, nun aber mit rein abstrakt geometrischen Konstruktionen, erzielt Pevsner mit seinen sphärischen Körpern. Glatte, verdrehte oder gegeneinander verkantete Flächen ergeben eine vielschichtige Raumstruktur, wobei die strahlenförmigen, von einem Zentrum auslaufenden Schraffuren eine höchst reizvolle Oberflächenbewegung ergeben, gleichzeitig aber auch dem Objekt zu seiner kraftfeldmäßigen Dynamik verhelfen.

Die Möglichkeiten des gewählten Materials auszuschöpfen, ist auch das Anliegen von Gonzales. Für ihn hat das Eisen, das er schmiedet und schneidet, auch programmatische Bedeutung. «Es ist höchste Zeit», findet er, «daß dieses Material aufhört, mörderisch zu sein oder nur einer mechanischen Wissenschaft zu dienen». Durch Einschneiden und Auflösen, durch Biegen, Wölben und einfallsreiches Gliedern, durch Polieren und verbindendes Färben kommt er bei seinen surrealistisch heiteren «Kaktusmenschen» zu allen nur erdenklichen Ausdrucksmöglichkeiten.

305

306

307

ARCHITEKTUR
DES 20. JAHRHUNDERTS

309 Wallfahrtskapelle Ronchamp/Vogesen. 1950/53. Von Le Corbusier (1887–1965).

Bereits gegen Ende des 19. Jahrhunderts hatte sich in den kühnen Ingenieurbauten aus Stahl, Glas und Beton eine neue Ästhetik in der Baukunst angekündigt, die eine deutliche Absage an die damals noch weithin in historischen Baustilen schwelgende Architektur darstellte. Doch was man bei der Brücke, der Fabrikhalle, also beim reinen Zweckbau, als notwendiges Übel akzeptierte, wurde bei Repräsentations-, Kult- oder Wohnbauten zunächst radikal abgelehnt. Noch einmal wurde ein letzter Versuch unternommen, den alternierenden Möglichkeiten von Historismus und karger Sachlichkeit mit einem Kompromiß zu begegnen, und zwar mit einer neuentwickelten Dekorativität in ornamentaler und bauplastischer Hinsicht. Dieser «Modern Style» oder «Jugendstil» erwies sich, trotz verheißungsvoller Einzelleistungen, als Fehlschlag, vor allem weil er den Bedürfnissen der inzwischen weitgehend emanzipierten Industriegesellschaft nicht entsprach. Er richtete sich allenfalls nach den Bedürfnissen einer geistig-aristokratischen Elite, den neuen Aufgaben, die sich vor allem durch die Bevölkerungszunahme in den industriellen Zentren der Architektur stellen, konnte dieser Stil nicht gerecht werden.

Klärende Hinweise für die Entwicklung eines funktionellen Baustils kommen um 1900 aus Amerika. Hier entsteht der reine Stahlskelettbau, dessen Wände nicht mehr tragen, sondern verkleidet werden und schließlich von einem Stahlpfosten zum anderen nach Belieben durchlaufend weite Fensterflächen erlauben. Diese breiten «Chicago-Fenster» mit dünnen Metallrahmen unter voller Ausnützung der Stahlskelettfelder in zukunftsweisender ausgewogener Rasterung der Fläche zeigt Sullivans berühmtes Warenhaus. Der «Schlüssel zum Aufbau eines **310** Gebäudes», sagt er, muß «die einzelne Zelle sein, die ein Fenster mit einem trennenden Pfeiler bildet», und diese Zellen müssen «ohne jede weitere Zutat gleich aussehen, weil sie alle gleich sind, da allen die gleiche Funktion zukommt.» Denn «Form folgt immer einer Funktion, und das ist ein Gesetz». Doch so überaus modern Sullivans Warenhaus auch wirkt, in einem entscheidenden Punkt zeigt es sich noch herkömmlich: Der Bau hat eine Schauseite, eine Fassade, er verrät damit ein durchaus traditionelles Repräsentationsdenken seines Schöpfers, für den ein Bauwerk eben doch noch Ausdruckskunst sein soll. Die Geschichte des Fassadenbaues reicht bis in die Römerzeit zurück, als man damals nämlich den richtungs- und fassadenlosen Peripteros-Tempel in die Fluchtlinie anderer Bauwerke einbezog. Wenn nun zu Beginn des 20. Jahrhunderts von führenden Architekten die Forderung erhoben wird, die volle Dreidimensionalität des Baukörpers wieder herzustellen, dann kann man darin ein Anknüpfen an archaische Urformen des Bauens sehen, analog zu den damaligen Bemühungen in der Malerei und Plastik, die sich ja auch an den Kunstformen der Frühzeit und der Primitivvölker orientieren.

So gibt Walter Gropius seiner noch vor dem 1. Weltkrieg gebauten Schuhleistenfabrik Fagus in Alfeld die Form eines allseitig betrachtbaren Kubus. Der Arbeitsprozeß vollzieht sich hier nicht mehr hinter düsteren Mauern, hinter dem Rücken eines anmaßend-feierlichen Verwaltungsgebäudes, der Produktionsbereich bietet sich der Öffentlichkeit dar, die arbeitenden Menschen sind nicht mehr im Getto des Hinterhofes von der Umwelt abgeschlossen. In diesem für die Zukunft vorbildlichen Fabrikbau wird auch die Industriearbeit von dem Makel gesellschaftlicher Diskriminierung befreit, in ihm offenbart sich das

311

311 **Fagus-Werke in Alfeld/ Leine. 1911/16. Von Walter Gropius (1883–1969).**

▶

310 **Warenhaus Carson- Pierie-Scott in Chicago. 1899. Von Louis Sullivan (1856–1924).**

wachsende Selbstbewußtsein des Arbeiters, aber auch das zunehmen-
de Verständnis des Unternehmers für dessen soziale und arbeitspsy-
chologische Probleme. Die Faguswerke sind denn auch der erste Bau,
bei dem die Stahlskelettkonstruktion nicht nur die Einheitlichkeit des
schmucklos reinen Baukörpers bestimmt, sondern bei dem die Glas-
Stahl-Wand lediglich als Außenhaut erscheint. Ihre nichttragende Funktion wird vor allem an den Ecken betont, wo statt der traditionell mas-
siven Wände zwei Glasflächen zusammentreffen. Dadurch erhält der
Baukörper, trotz seiner festen kubischen Form, eine lichtvolle Leichtig-

keit. «Die Rolle der Wand», sagt Gropius, «die zwischen Stützen ge-
spannt wird, ist es jetzt nur noch, Regen, Kälte und Lärm abzuhalten.
Mich begeistert der Gedanke, mit den neuen konstruktiven Mitteln
die Illusion schwebender Leichtigkeit der Baumasse zu erzielen.»

Dieser Gedanke durchzieht wie ein roter Faden die gesamte Baukunst der Gegenwart. Mies van der Rohe verwirklicht ihn bei seinen
314 Hochhäusern durch volle Transparenz der Außenflächen. Die lineare
Geometrie der Gliederungsraster mit dem Facette der wohlproportio-
nierten Fenster geben dem Bau die elegante Leichtigkeit eines feinge-
knüpften Gitterwerkes, wobei das Spiel der Lichtreflexe auf dem Glas
dem in der Form an sich so statischen Baukörper eine irisierende Le-
bendigkeit gibt. Le Corbusier stellt seine breitgelagerten, schweren
313 Baukörper gerne auf dünne Säulen und hebt sie so gewissermaßen
in einen luftigen Raum. Dieses Mittel zur optischen Erleichterung der
Baumasse verwendet später auch Gropius für seine Wohnbauten, deren strenge Außenwände er dann durch rhythmische Gliederung mit

313 Unité d'Habitation
in Marseille. 1947/52.
Von Le Corbusier
(1887–1965).

◀

312 Haus Schröder in
Utrecht. 1924.
Von Gerrit Th. Rietveld
(1888–1964).

Hilfe von Loggien auflockert. Die Abkehr von der klassischen Geschoß-
folge (massiges Untergeschoß, nach oben hin leichter werdende Ober-
geschosse) zeigen auch die beschwingten Konstruktionen von Saarinen und Nervi, bei denen schräggestellte Stützen massive, konkav oder
konvex gewölbte Spannbetondächer tragen.

315
317

Zunächst hält man aber, bis in die zwanziger Jahre hinein, an den
blockhaften kubischen Raumkörpern fest. Es geht allein um die «reinen
Verhältnisse», wie sie Mondrian als eine Art kolorierte Geometrie in
der Malerei darlegt und für die Architektur fordert. So entwickelt der
Holländer Rietveld ein planvolles, doch ganz frei proportioniertes ku-
bisches Baugefüge aus rechtwinkligen Flächen, die vertikal und hori-

292

312

zontal ineinanderwirken. Dabei werden die Flächen um des Prinzips willen hier und da über ihre sachliche Funktion hinaus weitergeführt: Aus der Balkonbrüstung wird eine nach unten hin verlängerte Platte, die Fläche neben dem Balkonfenster wird zur Betonung der Senkrechten über die horizontale Dachkantenlinie und die Fensterwand über die Seitenwand hinausgeschoben.

Nachdem man also in den ersten dreißig Jahren unseres Jahrhunderts durch systematische Vereinfachung der Form bei Wand und Körper, durch funktionsgerechte Gliederung des Inneren wie des Äußeren und durch Verwendung neuer Baustoffe zu einem konstruktiv-sachlichen Baustil gekommen war, beginnt man sich Mitte der Dreißiger Jahre um eine phantasievollere Durchbildung des Baukörpers zu bemühen, «um die Monotonie allzu großer Fensterflächen zu vermeiden» (van der Rohe). Die Architektur erlebt jetzt eine Entwicklung, die vielleicht der romanischen Epoche entspricht, als sich der Wandel von dem strengen, schmucklosen Flächenbau der ottonischen Zeit zu dem bauplastisch aufgelockerten, rhythmisch gegliederten Bau der salischen Romanik vollzieht. So weicht man denn jetzt auch in der modernen Baukunst von dem strengen Rasterschema ab und gibt der Außenwand durch unterschiedliche Fensterformen sowie durch vor- und zurückspringende Elemente eine plastisch-dekorative Strukturierung.

Le Corbusier gibt seiner «vertikalen Stadt» in Marseille und später in Berlin zwar weiterhin eine kubische Form, doch unterbricht er die durchlaufenden Fensterbänder immer wieder durch Versetzen der Loggien in der Vertikalen. Die unterschiedlichen Fenster- und Geschoßhöhen ergeben sich aus der inneren Raumgliederung. Um nämlich den Bewohnern das Gefühl zu nehmen, in einem Massensilo zu leben, gestaltet Corbusier die Wohnungen äußerst phantasievoll und abwechslungsreich. So erstrecken sich manche als «Maisonetten» bezeichneten Einheiten über zwei Geschosse, die mit einer inneren Treppe verbunden sind; anderen Wohnungen gibt er durch leicht verstellbare Zwischenwände die Möglichkeit zur individuellen Raumaufteilung. In dem 135 Meter langen, 20 Meter breiten und 60 Meter hohen Bau befinden sich 337 abgeschlossene Wohnungen zu 23 verschiedenen Typen. Die 1600 hier wohnenden Menschen haben Freizeit- und Kinderspielplätze auf der Dachterrasse und können alles Lebensnotwendige in der Ladenstraße hinter den Sonnenschutzblenden kaufen.

Während Corbusier die Wohnung in der Großstadt als «Wohnmaschine oder als Werkzeug» betrachtet und sie daher rein zweckmäßig und entsprechend funktionell konstruiert, entwickelt er für den Kultbau

313

160

314 **Commonwealth Promenade Appartments in Chicago. 1956. Von Ludwig Mies van der Rohe (1886–1969).**

eine überaus reiche Formphantasie. Seine Wallfahrtskapelle in Ronchamp ist plastische Architektur, ein lebendiger, in jeder Ansicht überraschender Baukörper. Die Wände mit den hineinkomponierten bemalten Scheiben, die Decke und der Fußboden ergeben ein Raumgefüge ohne rechten Winkel. Das weit über den schiffsbugartigen

309

Baukörper vorkragende Dach ist in Umkehrung der traditionellen Gie-
belform wulstig nach oben gerundet, fast schwerelos scheint es über
einem Lichtband auf den Mauern zu schweben.

Der frei verformbare Stahlbeton erlaubt nun die vielfältigsten raum-
plastischen Möglichkeiten, die «die konstruktive Phantasie der Menschen völlig freimacht», sagt Nervi, der Schöpfer des Sportpalastes in
317 Rom. Von einem feingliedrigen System schräggestellter und sich im
oberen Drittel gabelnder Stützen wird, die Gesetze herkömmlicher
Statik virtuos überspielend, die flache Schale des Daches in der Schwe-
be gehalten. Klar einsichtige Funktion und neue konstruktive Phantasie
verbindet auch Saarinens letztes Meisterwerk, der Dulles International
315 Airport in Washington. Das aus Fertigbetonplatten zusammengesetzte
und vergossene Dach schwingt sich zur Vorderfront und zum Flugfeld
hin zu auseinanderstrebenden Schrägstützen hinauf, die durch das
Dach hindurch dieses von oben her ergreifen. Wiederum ein Beispiel
für die Umkehrung herkömmlicher Bauweisen: Die Last wird nicht
mehr gestützt sondern hängend getragen.

316 Mies van der Rohes letzter großer Bau, die Nationalgalerie in Berlin,
zeigt die für seinen Stil typische Linearität, wobei eine ausgewogene

315 Dulles Airport in Washington. 1958–1962. Von Eero Saarinen (1910–1961).

316 Nationalgalerie Berlin-West. Entworfen 1963 von Ludwig Mies van der Rohe (1886–1969).

Proportionierung der Anlage eine kühle Eleganz verleiht. Über dem gewaltigen Areal der souterrain gelegenen Galerieräume für ständige Ausstellungen erhebt sich ein vergleichsweise zierlicher Tempel aus Glas und Stahl für Wechselausstellungen, keineswegs museal-feierliche Assoziationen weckend, als vielmehr den Standort der Galerie signalisierend. Die schwere Dachplatte wird von nur acht Stützen getragen, die nur so weit zur Dachkante gerückt sind, daß die Dachecken frei schweben. Der also durch keine Stütze behelligte lichte Innenraum läßt in seiner Weltoffenheit keinen Spielraum für unangemessene Feierlichkeit.

Eine glückhafte Verbindung zwischen moderner Bautechnik und architektonischer Erfindungskraft stellt auch Scharouns Philharmonie in Berlin dar. Auf dem Grundriß eines Fünfecks – das alte Zunftzeichen mittelalterlicher Bauhütten – erhebt sich ein vollplastischer Körper, bei dessen Anblick man unwillkürlich an ein zusammengefaltetes Stück Papier denken muß, das in der Vielfältigkeit der gebrochenen Flächen, Höhlungen, scharfkantigen Ecken und skurrilen Raumgebilde sofort die spielerische Phantasie des Betrachters anregt. In den zahlreichen Vorräumen, dem Vestibül, den Garderoben und dem Foyer findet das Spiel der Überschneidungen und gebrochenen Flächen seine Fortsetzung. Ein System von ineinandergeschachtelten vielgestaltigen Räu-

318

men auf unterschiedlichen Ebenen, verbunden durch zahlreiche, anmutig durch den Raum geführte Treppenläufe, soll den Besucher vor dem Konzert und während der Pause zu Bewegung, Begegnung und zur abenteuerlichen Erkundung ermuntern. Im Konzertsaal schließlich ist die traditionelle Konfrontation von Orchester- und Zuschauerraum überwunden, da die Ränge, in unterschiedlich große Gruppen organisch gegliedert, in freier Anordnung das Orchesterpodium umlagern. Der Zuhörer bekommt das Musikstück nicht mehr von der Bühne herab präsentiert, hier wird er vielmehr zur Gemeinde, zum aktiven Teil des künstlerischen Geschehens.

So läßt sich denn an den hier aufgeführten Beispielen der Baukunst unserer Gegenwart eine höchst folgerichtige Entwicklung erkennen, daß nämlich nach der Zeit der klassisch-strengen Form, die hervorgegangen ist aus dem Ingenieurbau, nun die Architektur eine innere Belebung und phantasievolle Vielgestaltigkeit erfährt – eine Entwicklung also, die die Erfahrungen der Kunstgeschichte bestätigt: daß auf eine Periode der Renaissance eine des Barock folgt.

318   Philharmonie in Berlin-West. 1957. Von Hans Bernhard Scharoun (1893–1972).

317   Palazetto dello sport in Rom. 1956/58. Von Pier Luigi Nervi (geb. 1891).

319 Marisol Escobar (geb. 1930), Der Besuch. 1964. Bemaltes Holz, Gips, Textilien, Leder und Foto.

Eine Gesellschaft, die sich heute selbst in Frage stellt – durch lautstarken Protest, durch sachliche Kritik oder mittels wissenschaftlicher Analysen –, muß auch in ihren künstlerischen Ausdrucksformen neue Wege gehen oder zumindest diese neuen Wege suchen. Alles, was uns in der Bildkunst der Gegenwart so schockierend, so provozierend, so unverstehbar oder auch ermüdend gegenübertritt, ist letztenendes ein komplexes Phänomen eines allgemeinen Umdenkungsprozesses, in dem sich unsere Gesellschaft und damit auch die sie im Bildwerk reflektierenden Künstler befinden. Diesen Prozeß als Krisis zu verstehen, würde eine Fehleinschätzung der Situation bedeuten, denn eine Krisis ist immer die Zuspitzung einer krankhaften Entwicklung, die entweder zur Restauration, zur Gesundung, oder zum Exitus führt. Beide Möglichkeiten aber sind unvorstellbar angesichts der Originalität und Vitalität, mit der uns die Bildkunst heute überrascht.

Es wird nun immer wieder die Frage gestellt, ob dies überhaupt noch etwas mit Kunst zu tun habe, ja die Künstler selber sprechen bei ihren Objekten sogar häufig von Anti-Kunst. Aber hier wird doch nur offenbar, daß die herkömmliche Vorstellung, «was denn Kunst sei», fragwürdig geworden ist, bei den Kunstkonsumenten ebenso wie bei den Künstlern selber. Nicht unerhebliche Schuld an dieser Begriffsverwirrung tragen die traditionellen Kunstinstitutionen, die Akademien, die ein Kunstwerk nach dem Grad des Könnens beurteilen, die Museen, die nach der Endgültigkeit und damit nach dem Ewigkeitswert fragen, und schließlich der Kunsthandel, der es nach dem kommerziellen Marktwert einschätzt, von den Kunstästheten, Kunsthistorikern und Kunstkritikern einmal ganz abgesehen. Wenn nun heute der Versuch unternommen wird, das Kunstwerk aus der Abhängigkeit dieser Institutionen zu befreien, um ihm seine ursprüngliche Bedeutung als legitimes, elementares Ausdrucksmittel eines bestimmten Zeitgeistes wiederzugeben, dann müssen zwangsläufig unsere herkömmlichen

321 John Chamberlain (geb. 1927), Weißer Schatten. 1965. Lackierter Autoschrott, geschweißt. Höhe 172 cm. ▶

320 Baldaccini Cesar (geb. 1921), Daumen. 1968. Plastik, Bronze, Gips. Höhe 40–200 cm.

Anschauungsweisen und Begriffskategorien bei der Beurteilung und bei der Betrachtung dieser Gegenwartskunst versagen.

In folgenden Punkten hat sich die Gegenwartskunst außerhalb der traditionellen Begriffsvorstellungen begeben:

1. Die Trennung der Bildkunst in Malerei und Plastik wird weitgehend überwunden. Gemalte Kompositionen werden durch plastische Elemente bereichert, Plastiken erhalten Flächenbemalungen. **319**

2. Durch Licht-Kinetik, vorprogrammierte oder manuell durch den Beschauer vollziehbare Bewegungsabläufe verliert das Kunstwerk seine traditionelle statische Form. **322**

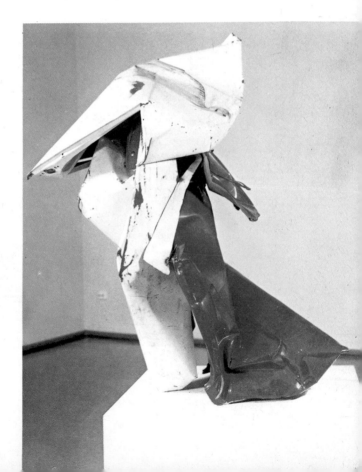

322 Documenta 1968 in Kassel: Eingangshalle mit Objekten von Paolozzi,

King und Tucker, David Smith und Erich Hauser, Carl Andre und Peter Brüning.

3. Die magische Grenze zwischen Betrachter und Kunstwerk wird aufgehoben. Begehbare und bewegte Objekte beziehen durch Spiegelungen oder durch Mechaniken, die zum Mitspielen aufrufen, den Beobachter in das Kunstwerk ein.

4. Der Gegensatz von Realismus und Abstraktion, der die Bildkunst in den letzten hundert Jahren beschäftigt hat, wird überwunden. Alltagsobjekte werden in ·ihrer greifbaren Realität in das Bildwerk einbezogen oder lediglich durch farbliche oder proportionsmäßige Verfremdung zum autonomen Kunstwerk umgeprägt.

320
321

5. Das Kunstwerk entzieht sich musealer Konservierung, sei es, daß es bewußt zum raschen Verbrauch geschaffen wird (Andy Warhol: «Bald wird jeder nur noch 15 Minuten berühmt sein), sei es, daß es ortsgebunden ist. Beispiel: Heinz Macks «lands-art» in der Sahara, wo er einen «unübersehbaren Naturraum, fern vom konfusen Inventar der Welt» durch Aufstellen von riesigen Metallobjekten zu einem «Kunstraum» werden läßt.

Doch nicht nur durch den seit den letzten beiden Jahrzehnten vollzogenen grundlegenden Bedeutungswandel des Kunstwerkes erscheint uns dieses fragwürdig, auch die ungewohnten und vielfach spektakulären Erscheinungsformen fordern zum Widerspruch heraus. Da werden Bildklischees aus der Werbung zitiert, Autowrackteile roh zusammengeschweißt, Rohre, Stahlprofile und Bleche in ihrer unbearbeiteten Form in den Rang von Kunstwerken erhoben. Dem banalsten Alltagsobjekt, lediglich durch Farbe oder Verformung verändert, wird künstlerische Bedeutung zuerkannt. Der völlige Mangel schließlich an metaphysischer oder zumindest kompositorischer Deutungsmöglichkeit hat derartigen Kunstwerken den Ruf eingebracht, sie sollten nur persiflieren, amüsieren, den Betrachter sogar verulken. Aber in einer Zeit, in der die Gesellschaft bereitwillig politischen Scharlatanen auf den Leim geht, billige Gefühlssurrogate der Unterhaltungsindustrie akzeptiert und den Sirenenklängen der Werbeführer erliegt, sollte es in dieser Zeit der Kunst nicht erlaubt sein, mit eben diesen Mitteln sich verständlich zu machen, um der Gesellschaft das Bewußtsein für die Wirklichkeit zu schärfen, in der sie lebt? Schließlich ist es doch eine ebenso banale wie amüsante, eine ebenso vordergründige wie erregende Wirklichkeit, voller Widersprüche und Ungereimtheiten, aber auch voll faszinierender Möglichkeiten. So gesehen erfüllt auch die Bildkunst unserer Gegenwart eine Aufgabe, der sie von jeher nachgekommen ist, nämlich den Zeitgeist mit den ihr zur Verfügung stehenden Ausdrucksmitteln glaubhaft zu reflektieren.

Fotonachweis:

Abrams, Amsterdam: Nr. 196. —
Bernhaut, Wien: Nr. 202. —
Blauel, München: Nr. 216. —
Buresch, Braunschweig: Nr. 201, 211,
212, 213, 217, 219, 222, 225, 228,
236, 238, 244, 255, 259, 261, 262,
265, 267, 268, 269, 271, 273, 276,
277, 279, 281, 284, 287, 288, 289,
319, 320, 321, 322. —
Burkhard-Verlag, Essen: Nr. 257, 309,
312, 315. —
Cercle d'Art, Paris: Nr. 274. —
dpa, Hamburg: Nr. 313, 316, 317,
318. —
Giraudon, Paris: Nr. 195, 214, 218,
221, 223, 224, 227, 233, 239, 243,
248, 252, 260, 263, 296. —
Gundermann, Würzburg: Nr. 207. —
Haase, Frankfurt/M.: Nr. 230. —
Hanfstaengel, München: Nr. 245, 249,
253, 264. —
Hassenberg: Nr. 311. —
Haussner, Wien: Nr. 295. —
Hinz, Basel: Nr. 272, 293, 295. —
Holle-Verlag, Baden-Baden: Nr.
258. —
Kindler-Verlag, München: Nr. 280. —

Kleinhempel, Hamburg: Nr. 231,
242. —
Krämer, Braunschweig: Nr. 310,
314. —
Meyer, Wien: Nr. 199, 200, 234, 237,
240. —
Moretti, Rom: Nr. 191, 193. —
Réalités, Paris: Nr. 226. —
Schmidt-Glassner, Stuttgart: Nr.
208. —
Skeel, London: Nr. 210. —
Somogy, Paris: Nr. 197, 246. —
Steinkopf, Berlin: Nr. 198, 209, 235,
294. —
Stoedtner, Düsseldorf: Nr. 190. —
Thames & Hudson, London: Nr.
232. —
Westermann-Archiv, Braunschweig:
Nr. 192, 194, 203, 204, 205, 206. —
SPADEM, Paris / Cosmopress, Genf
und ADAGP, Paris / Cosmopress,
Genf erteilten die Genehmigung
zum Abdruck von Nr. 244, 249,
264, 265, 266, 267, 268, 269, 270,
271, 272, 273, 274, 286, 287, 288,
291, 292, 293, 294, 295, 296, 298,
300, 301, 302, 303, 304, 307, 308.

Allen Museen, Sammlungen und Künstlern danken wir für ihr Entgegen-
kommen und ihre Erlaubnis zum Abdruck.

Status-Symbol?
Es gibt Menschen, die »Westermanns Monatshefte« aus Prestige-Gründen abonnieren. Weil sie so angesehen, so kostbar ausgestattet, so dekorativ, allerdings auch etwas teurer als die meisten anderen Zeitschriften sind.
Angesehen, kostbar, dekorativ – das alles trifft zu. Aber die „echten“ Freunde und ihre Familien schätzen diese anerkannt gut gemachte Kulturzeitschrift vor allem, weil sie neben der anregenden Information die schönen Seiten des Lebens nicht zu kurz kommen läßt.
Westermanns Monatshefte Beste Lesensart
Abonnieren Sie bei Ihrem Buchhändler oder schreiben Sie an den Westermann Verlag, Postfach 3320, D-3300 Braunschweig
Welt Kunst Kultur
Westermanns Monatshefte

Praktisches Wissen

sachbuch rororo

Dr. med. H. ANEMUELLER
Iß dich gesund. Leistungsfähig und aktiv durch Essen mit Verstand [7128]

KLAUS BIRKENHAUER
Schreibtraining. Klar und wirksam formulieren [6871]

GUNTHER BISCHOFF
Speak you English? Programmierte Übung zum Verlernen typisch deutscher Englischfehler [6857]
Managing Manager English. Gekonnt verhandeln lernen durch Üben an Fallstudien [7129]

MICHAEL CANNAIN / WALTER VOIGT / B+I PROJEKTPLANUNG
Kühles Denken. Wie man mit Analogien gute Ideen findet, erfolgreich improvisiert und überzeugend argumentiert [7140]
Ideen realisieren. Aus dem Kopf in die Praxis! Interessenten finden. Taktisch richtig vorgehen. Ideen überzeugend anbieten [7104]

EGMONT COLERUS
Von Pythagoras bis Hilbert. Die Epochen der Mathematik und ihre Baumeister [6696]

Computer. Technik, Anwendung, Auswirkungen [7147]

GISELA EBERLEIN
Gesund durch autogenes Training [6875]
Autogenes Training für Fortgeschrittene [6925]

BOBBY FISCHER
Bobby Fischer lehrt Schach [6870]

WERNER FRANKE / THOMAS FEILE
Selber reparieren so einfach. Handwerksmeister verraten ihre besten Tips für Reparaturen in Wohnung und Haus [7096]

Dr. med. HANNA FRESENIUS
Sauna. Der ärztliche Führer zur Entspannung und Gesundheit durch richtiges Saunabaden [6999]

SIEGFRIED GRUBITZSCH / GÜNTER REXILIUS
Testtheorie — Testpraxis. Voraussetzungen, Verfahren, Formen und Anwendungsmöglichkeiten psychologischer Tests im kritischen Überblick [7157]

CAROLA HALHUBER
Vom Raucher zum Nichtraucher. Das 7-Stufen-Programm zur Befreiung vom Rauchen [7073]

ULRICH KLEVER
Klevers Garantie-Diät. Schlank werden mit Sicherheit [7056]
Dein Hund, Dein Freund. Der praktische Ratgeber zu allen Hundefragen [7122]

MANFRED KÖHNLECHNER
Die Managerdiät. Fit ohne Fasten [6851]
Die machbaren Wunder. Heilmethoden, Heilerfolge [6960]

WALTER F. KUGEMANN
Lerntechniken für Erwachsene [7123]

NICK KUNOVSKY
Fitnesstraining. Ein Programm für körperliches Wohlbefinden [6847]

RUPERT LAY
Dialektik für Manager. Einübung in die Kunst des Überzeugens [6979]

GERHARD LECHENAUER
Filmemachen mit Super 8 [7069]

LEHRLINGSHANDBUCH
Alles über die Lehre, Berufswahl, Arbeitswelt für Lehrlinge, Eltern, Ausbilder, Lehrer [6212]

Mietrecht für Mieter. Juristische Ratschläge zur Selbsthilfe [7084]

Dr. med. WALTER NODER
Leistungsfähig über 40. Aktiv und gesund durch Herz-Kreislauf-Training [7083]

ERNST OTT
Optimales Lesen. Schneller lesen — mehr behalten. Ein 25-Tage-Programm [6783]
Optimales Denken. Trainingsprogramm [6836]

Das Konzentrationsprogramm. Konzentrationsschwäche überwinden – Denkvermögen steigern [7099]
Intelligenz macht Schule. Denkspiele zur Intelligenzförderung für 8- bis 14-jährige [7155]

GERT VON PACZENSKY
Feinschmeckers Beschwerdebuch. Brevier wider die Sünden der Gastronomie [6991]

SUSANNE VON PACZENSKY
Der Testknacker. Wie man Karriere-Tests erfolgreich besteht [6949]

Dr. L. & L. PEARSON
Psycho-Diät. Abnehmen durch Lust am Essen [7068]

LAURENCE J. PETER
Das Peter-Programm. Der 66-Punkte-Plan, mit dem man Probleme, Pannen und Pleiten Paroli bieten kann [6947]

FRIEDRICH H. QUISKE / STEFAN J. SKIRL / GERALD SPIESS
Arbeit im Team. Kreative Lösungen durch humane Arbeitsform [6926]

ALEKSANDR ROSAL / ANATOLIJ KARPOV
Schach mit Karpov. Leben und Spiele des Weltmeisters [7149]

GÜNTHER H. RUDDIES
Psychotraining. Lebenstechnik im Alltag [6901]
Psychostudio. Von der Beobachtung zur Beurteilung des Verhaltens [6971]
Testhilfe. Testangst überwinden. Testerfolge erzielen in Schule, Hochschule, Beruf [7082]

LORE SCHULTZ-WILD
Berufe. Ratgeber zur Ausbildungs- und Berufswahl für Hauptschüler, Mittelschüler, Abiturienten, Hochschulabsolventen. Mit Begabungstest [7062]

HANS HERBERT SCHULZE
Lexikon zur Datenverarbeitung. Schwierige Begriffe einfach erklärt [6220]

RUDOLF SCHWARZ
Heilmethoden der Außenseiter. Theorie und Praxis / Erfolge und Kritik / Adressen und Kosten [7061]

HANS SELYE
Stress. Lebensregeln vom Entdecker des Stress-Syndroms [7072]

JACQUES SOUSSAN
Pouvez-vous Français? Programmierte Übung zum Verlernen typisch deutscher Französischfehler [6940]

SIEGFRIED STERNER
Die Kunst zu wandern. Wann, wie und womit Wandern zum Erlebnis wird [7089]

SIEGBERT TARRASCH
Das Schachspiel. Systematisches Lehrbuch für Anfänger und Geübte [6816]

J. N. WALKER
Juniorschach 1. Die ersten Züge. Eröffnungsspiele spielend gelernt [7144]
Juniorschach 2. Angriff auf den König. Mittelspiele spielend gelernt [7145]

W. ALLEN WALLIS / HARRY V. ROBERTS
Methoden der Statistik. Anwendungsbereiche. 400 Beispiele, Verfahrenstechniken [6091]

Dr. HEINRICH WALLNÖFER
Besser als tausend Pillen. Ratgeber der Gesundheitspflege. Mittel und Methoden zur gefahrlosen Selbstbehandlung im Krankheitsfall. Mit 100 Abb. im Text und 10 Tabellen [6152]

BERND WEIDENMANN
Diskussionstraining. Überzeugen statt überreden, Argumentieren statt attakkieren [6922]

MARTIN F. WOLTERS
Der Schlüssel zum Computer. Einführung in die elektronische Datenverarbeitung. Eine programmierte Unterweisung.
Band 1: Leitprogramm [6839]
Band 2: Textbuch [6840]

Kaufmännisches Grundwissen strukturiert.
Der Schlüssel zum Industriebetrieb
Band 1: Struktur des Unternehmens und Stellung [7120]
Band 2: Entscheidungen im Beschaffungs-, Produktions- und Absatzbereich [7111]
Band 3: Entscheidungen im Finanzbereich und großer Schlußtest mit Planungsbeispiel [7112]

Kaufmännisches Grundwissen strukturiert.
Der Schlüssel zur Bilanz [7113]

Kaufmännisches Grundwissen strukturiert.
Der Schlüssel zur Betriebswirtschaft [7135]

die reisen der entdecker
Die Erforschung fremder Länder und Kulturen
Das farbige Life Bildsachbuch

china
Das Reich der Mitte
Das farbige Life Bildsachbuch

fürsten künstler humanisten
Renaissance: Anbruch der Neuzeit
Das farbige Life Bildsachbuch

bürger dandies ingenieure
Von der Industrialisierung bis zum Ersten Weltkrieg
Das farbige Life Bildsachbuch

DIE FARBIGEN LIFE BILDSACHBÜCHER

Kultur und Geschichte
20 Bände

20 kulturgeschichtliche Bildsachbücher in hervorragender Ausstattung aus der Time – Life -Serie. Sie informieren über die großen Kulturen dieser Erde, ihre Geschichte und Bedeutung. Jeder Band enthält zahlreiche farbige Abbildungen aus allen Bereichen von Kunst, Kultur und Geschichte der dargestellten Völker und Epochen.

Die Reisen der Entdecker (21)
Mesopotamien (22) **Ägypten** (23)
Indien (24)   **China** (25)
Japan (26)   **Amerika** (27)
Afrika (28)   **Islam** (29)
Byzanz (30)   **Griechenland** (31)
Römisches Reich (32)
Mönche, Krieger, Lehensmänner
Spätantike und frühes Mittelalter (33)
Kaiser, Ritter und Scholaren
Hohes und spätes Mittelalter (34)
Fürsten, Künstler, Humanisten
Renaissance: Anbruch der Neuzeit (35)
Ketzer, Bauern, Jesuiten
Reformation und Gegenreformation (36)
Söldner, Diener, Majestäten
Barocker Absolutismus (37)
Zaren, Popen und Bojaren
Rußland von den Warägern bis zu Peter dem Großen (38)
        Dichter, Denker, Jakobiner
Aufklärung und Revolution (39)
        Bürger, Dandies, Ingenieure
Von der Industrialisierung bis zum Ersten Weltkrieg (40)

sachbuch rororo